사고력을 키우는 팩토 연산

P05
50까지의 수

 매스티안

구성과 특징

1주 연산 원리 학습

붙임 딱지 등의 활동으로
연산 원리를 재미있게 체득

2주 연산 응용 학습

연산 원리를 응용한 문제를
풀어 보며 문제해결력 신장

+

정답

아이와 자연스럽게 학습을 시작할 수
있도록 **스토리텔링** 방식 도입

아이들이 배우는 연산 원리에 대한
학습가이드 제시

연산 실력 체크 진단 **+** **보충 온라인 보충 학습**

2~4주차 사고력 연산을
학습하기 전에 연산 실력 체크

매스티안 홈페이지에서 제공하는
보충 학습으로 연산 원리 다지기

온라인 활동지

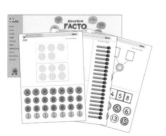

매스티안 홈페이지에서 제공하는
활동지로 사고력 연산 이해도 향상

4주 사고력 학습 2

연산 원리를 바탕으로 한 사고력 연산
문제를 풀어 보며 수학적 사고력과 창의력 향상

3주 사고력 학습 1

연산 원리를 바탕으로 한 사고력 연산
문제를 풀어 보며 수학적 사고력과 창의력 향상

• 3, 4주차 1일 학습 흐름 •

 ➡ 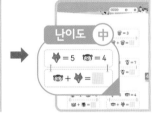 ➡ 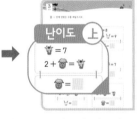 ➡

특정 주제를 쉬운 문제부터 목표 문제까지 차근차근
학습할 수 있도록 설계 되어 있어 자기주도학습 가능

☆☆ App Game 팩토 연산 SPEED UP

앱스토어에서 무료로 다운받은
팩토 연산 SPEED UP으로 덧셈, 뺄셈,
곱셈, 나눗셈의 연산 속도와 정확성 향상

☆☆ 부록 칭찬 붙임 딱지, 상장

학습 동기 부여를 위한
칭찬 붙임 딱지와 연산왕 상장

사고력을 키우는 **팩토 연산 시리즈**

P | 권장 학년 : 7세, 초1 |

권별	학습 주제	교과 연계
P01	10까지의 수	❶학년 1학기
P02	작은 수의 덧셈	❶학년 1학기
P03	작은 수의 뺄셈	❶학년 1학기
P04	작은 수의 덧셈과 뺄셈	❶학년 1학기
P05	50까지의 수	❶학년 1학기

A | 권장 학년 : 초1, 초2 |

권별	학습 주제	교과 연계
A01	100까지의 수	❶학년 2학기
A02	덧셈구구	❶학년 2학기
A03	뺄셈구구	❶학년 2학기
A04	(두 자리 수)+(한 자리 수)	❷학년 1학기
A05	(두 자리 수)−(한 자리 수)	❷학년 1학기

B | 권장 학년 : 초2, 초3 |

권별	학습 주제	교과 연계
B01	세 자리 수	❷학년 1학기
B02	(두 자리 수)+(두 자리 수)	❷학년 1학기
B03	(두 자리 수)−(두 자리 수)	❷학년 1학기
B04	곱셈구구	❷학년 2학기
B05	큰 수의 덧셈과 뺄셈	❸학년 1학기

C | 권장 학년 : 초3, 초4 |

권별	학습 주제	교과 연계
C01	나눗셈구구	❸학년 1학기
C02	두 자리 수의 곱셈	❸학년 2학기
C03	혼합 계산	❹학년 1학기
C04	큰 수의 곱셈과 나눗셈	❹학년 1학기
C05	분수·소수의 덧셈과 뺄셈	❹학년 1학기

P05　50까지의 수　목차

P05권에서는 P01권에서 배운 10까지의 수를 확장하여 50까지의 수를 학습합니다.
수 모형과 동전 모형은 십진법의 원리가 포함되어 있는 10개씩의 묶음과 낱개의 개수를 파악하는데 효과
적인 도구입니다. 또한 두 자리 수의 구성 원리는 이후 학습하게 되는 모든 수의 구성 원리와 동일하게 적
용되므로 자연수의 구성 원리를 이해하는데 기초가 됩니다.

1일차	20까지의 수
	11부터 20까지의 수의 개념을 이해하고 수로 나타냅니다.
12	

2일차	50까지의 수
	10씩 묶어 세기를 통해 몇십을 학습한 후, 몇십 몇을 학습합니다.
43	

학습관리표

일 자			소요 시간	틀린 문항 수	확인
1 일차	월	일	:		
2 일차	월	일	:		
3 일차	월	일	:		
4 일차	월	일	:		
5 일차	월	일	:		

3일차 수의 배열

10 작은 수
26
35 36 37
1 작은 수 46 1 큰 수
10 큰 수

수 배열표를 이용하여 50까지의 수의 순서를 학습합니다.

4일차 짝수와 홀수

●●●●
●●●●
28 ➡ 짝수

짝수와 홀수의 개념을 이해하고, 수를 구별합니다.

5일차 두 수의 크기 비교

46 > 42

50까지의 수에서 두 수의 크기를 비교하여 >, <로 나타냅니다.

연산 실력 체크

1주차 학습에 이어 2, 3, 4주차 학습을 원활히 하기 위하여 연산 실력 체크를 합니다.
연습이 더 필요할 경우에는 매스티안 홈페이지의 보충 학습을 풀어 봅니다.

1주

20까지의 수

🌱 ○안의 수가 되도록 나뭇잎을 붙이며 수를 읽어 보시오.

🌼 개수를 세어 보시오.

┌─○ 보기 ○─────────────────────┐
│ 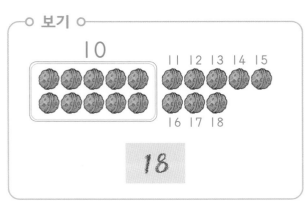 │
│   │
│   18   │
└──────────────────────────────┘

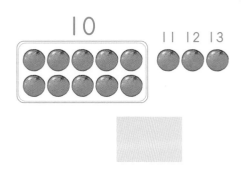

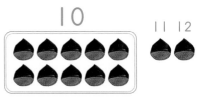

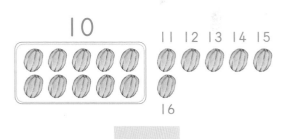

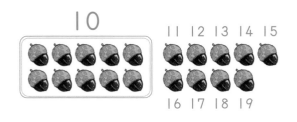

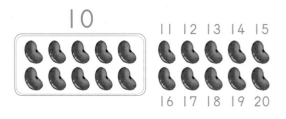

오 개수를 세어 보시오.

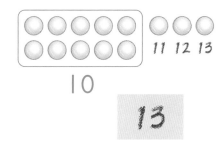

11 12 13

10

13

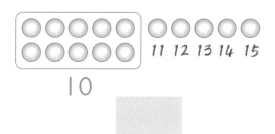

11 12 13 14 15

10

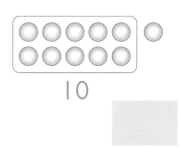

10

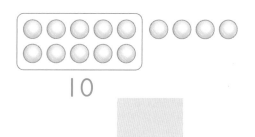

10

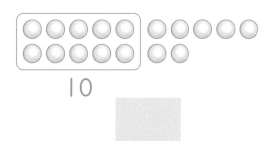

10

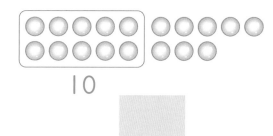

10

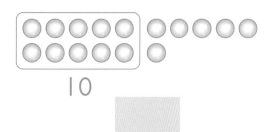

10

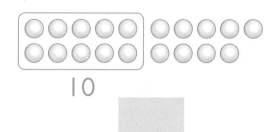

10

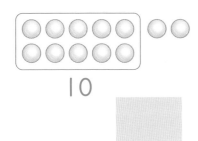

10

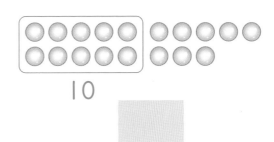

10

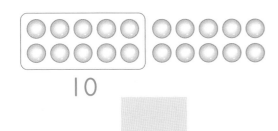

10

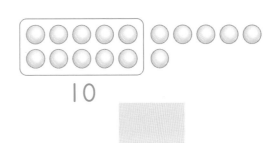

10

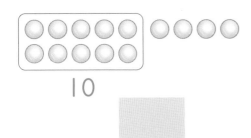

10

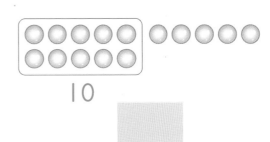

10

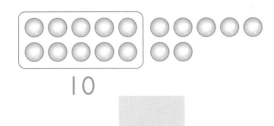

10

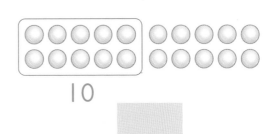

10

1 일차

🌼 개수를 세어 보시오.

50까지의 수

🌷 친구들이 받은 칭찬 붙임 딱지를 주어진 수만큼 붙여 보시오.

준비물 ▶ 붙임 딱지

🔵 개수를 세어 보시오.

10　　20

20

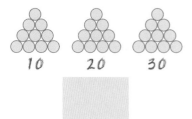

10　　20　　30

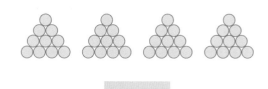

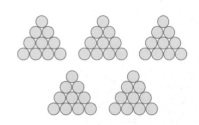

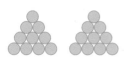

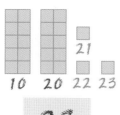

10　20　22　23
21

23

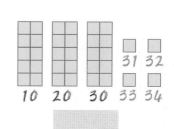

10　20　30　33　34
31　32

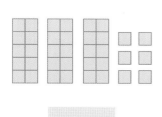

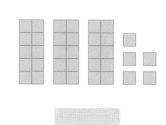

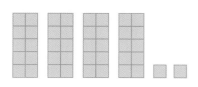

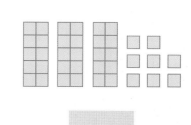

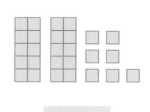

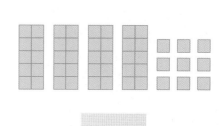

🌸 안에 알맞은 수를 써넣으시오.

10 20 30

30

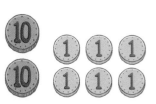

3 일차

수의 배열

🌷 열린 사물함에 문을 붙여 사물함의 번호를 알아보시오.

준비물 ▶ 붙임 딱지

수의 순서에 맞게 ▨ 안에 알맞은 수를 써넣으시오.

1	2	3	4	5	6	7	8	9	10
11	12	13	14	15	16	17	18	19	20
21	22	23	24		26	27	28		30
31		33	34	35	36	37	38	39	40
41	42	43		45	46	47	48	49	

(1 작은 수, 1 큰 수, 1 작은 수, 1 큰 수, 1 작은 수, 1 큰 수, 1 작은 수, 1 큰 수)

1	2	3	4	5	6		8	9	10
11	12	13	14		16	17	18	19	20
21	22	23	24	25	26	27	28		30
31	32		34	35	36	37	38	39	
41	42	43	44	45	46	47		49	50

(10 큰 수, 10 작은 수, 10 작은 수, 10 큰 수, 10 큰 수, 10 작은 수, 10 큰 수, 10 작은 수)

○ 수 배열표의 일부분입니다. ▨ 안에 알맞은 수를 써넣으시오.

1큰수 →				
1	2	3	4	5	

10큰수 ↓

7
17
27
37

1큰수 →
10큰수 ↓

5	6	7	
15		17	18
25	26		28
	36	37	38

1큰수 →
10큰수 ↓

12	13	14		16
22	23		25	26

1큰수 →
10큰수 ↓

11	
21	22
31	32
	42

1
P05

1 큰수 →					
21	22		24	25	

10 큰수 ↓

10
30
40
50

1 큰수 →

10 큰수 ↓

16		18	19
	27	28	29
36	37	38	39
46		48	

1 큰수 →

10 큰수 ↓

	34	35	36	37
43		45	46	47

1 큰수 →

10 큰수 ↓

	15
24	25
34	
44	45

🌱 수 배열표의 일부분입니다. ⬜ 안에 알맞은 수를 써넣으시오.

2	3	4	5	6	
12	13	14		16	17

2
12
22
42

11	12	13
21	22	
	32	33

5	6
15	16
25	26
35	
	46

5	6	7		9
15	16	17	18	
25	26		28	29

4	5	6	7		9
14	15		17	18	

	24	25
33	34	35
43	44	

6
16
36
46

4	5
14	15
	25
34	
44	45

26	27		29	30
	37	38	39	40
46	47	48		50

짝수와 홀수

🌷 친구들이 버스를 탈 때, 모두 짝을 지어서 앉을 수 있는 반을 찾아보시오.

준비물 ▶ 붙임 딱지

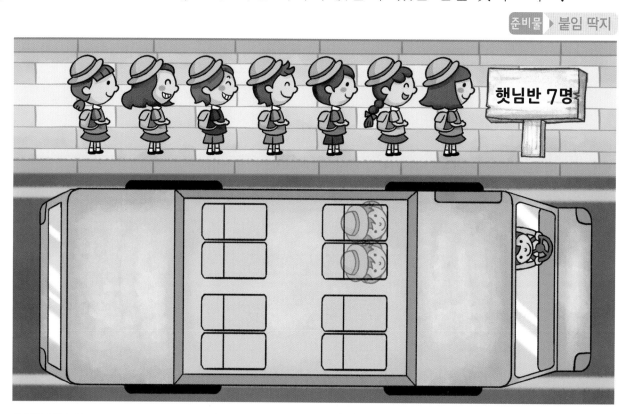

햇님반 7명

달님반 8명

⚘ ●를 둘씩 짝을 지어 묶고, (   )안의 알맞은 곳에 ○표 하시오.

○ 보기 ○

9

┌ 짝을 지을 수 있습니다. (   )
└ 짝을 지을 수 없습니다. (○)

6

┌ 짝을 지을 수 있습니다. (   )
└ 짝을 지을 수 없습니다. (   )

4   1 3
       2 4

┌ 짝을 지을 수 있습니다. (   )
└ 짝을 지을 수 없습니다. (   )

3   1 3
         2

┌ 짝을 지을 수 있습니다. (   )
└ 짝을 지을 수 없습니다. (   )

7   1 3 5 7
       2 4 6

┌ 짝을 지을 수 있습니다. (   )
└ 짝을 지을 수 없습니다. (   )

10   1 3 5 7 9
        2 4 6 8 10

┌ 짝을 지을 수 있습니다. (   )
└ 짝을 지을 수 없습니다. (   )

1
P05

4 일차

○ 짝을 지을 수 있는 수는 '**짝수**'에, 짝을 지을 수 없는 수는 '**홀수**'에 ◯표 하시오.

11 ➡ (짝수 , 홀수)

12 ➡ (짝수 , 홀수)

13 ➡ (짝수 , 홀수)

14 ➡ (짝수 , 홀수)

15 ➡ (짝수 , 홀수)

16 ➡ (짝수 , 홀수)

17 ➡ (짝수 , 홀수)

18 ➡ (짝수 , 홀수)

19 ➡ (짝수 , 홀수)

20 ➡ (짝수 , 홀수)

1
P05

21 ➡ (짝수 , 홀수)

22 ➡ (짝수 , 홀수)

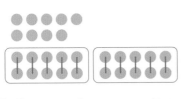

29 ➡ (짝수 , 홀수)

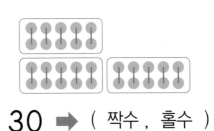

30 ➡ (짝수 , 홀수)

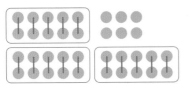

36 ➡ (짝수 , 홀수)

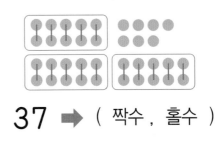

37 ➡ (짝수 , 홀수)

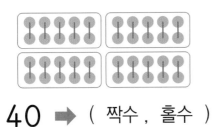

40 ➡ (짝수 , 홀수)

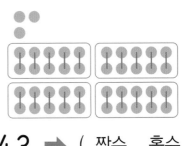

43 ➡ (짝수 , 홀수)

♥ ( )안의 알맞은 것에 ◯표 하시오.

12 ➡ (짝수 , 홀수)

15 ➡ (짝수 , 홀수)

17 ➡ (짝수 , 홀수)

23 ➡ (짝수 , 홀수)

26 ➡ (짝수 , 홀수)

34 ➡ (짝수 , 홀수)

48 ➡ (짝수 , 홀수)

27 ➡ (짝수 , 홀수)

31 ➡ (짝수 , 홀수)

49 ➡ (짝수 , 홀수)

25 ➡ (짝수 , 홀수)   18 ➡ (짝수 , 홀수)

36 ➡ (짝수 , 홀수)   27 ➡ (짝수 , 홀수)

44 ➡ (짝수 , 홀수)   33 ➡ (짝수 , 홀수)

19 ➡ (짝수 , 홀수)   46 ➡ (짝수 , 홀수)

32 ➡ (짝수 , 홀수)   41 ➡ (짝수 , 홀수)

오늘은 얼마나 잘 했을까요?
칭찬 붙임 딱지를
붙여 주세요!

두 수의 크기 비교

❀ 상자 안에 주어진 금액만큼 동전을 붙이고, ○ 안에 >, <를 알맞게 써넣으시오.

준비물 ▶ 붙임 딱지

👤 같은 종류의 동전끼리 수를 비교하여 ⬤ 안에 >, <를 알맞게 써넣으시오.

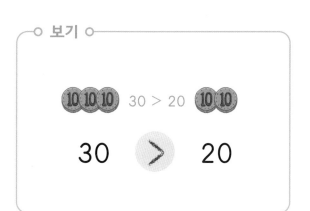

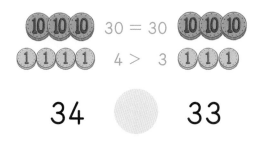

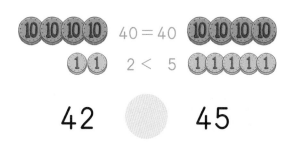

🙂 두 수의 크기를 비교하여 ⬤ 안에 >, <를 알맞게 써넣으시오.

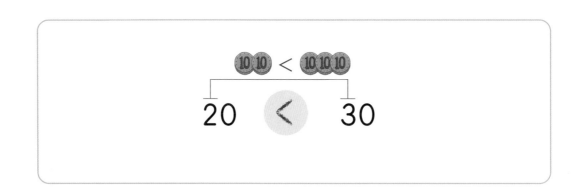

20 < 30

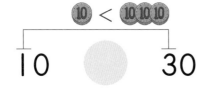

10 ⬤ 30

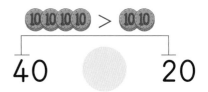

40 ⬤ 20

30 ⬤ 20

20 ⬤ 10

23 ⬤ 50

37 ⬤ 40

41 ⬤ 34

49 ⬤ 50

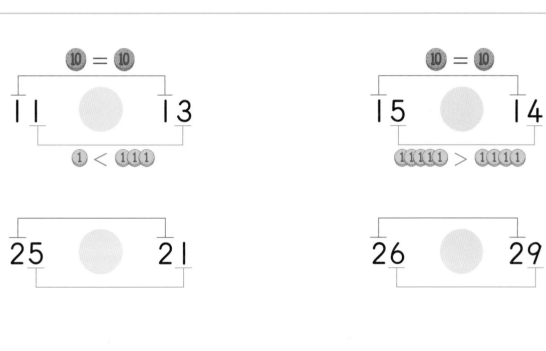

32 ⬤ 34

39 ⬤ 38

40 ⬤ 42

47 ⬤ 45

🌱 두 수의 크기를 비교하여 ⬤ 안에 >, <를 알맞게 써넣으시오.

20 ⬤ 10   10 ⬤ 30

30 ⬤ 40   40 ⬤ 20

20 ⬤ 50   45 ⬤ 35

21 ⬤ 13   26 ⬤ 30

29 ⬤ 32   37 ⬤ 27

40 ⬤ 38   49 ⬤ 50

11		13		14		17
19		18		23		20
25		22		28		29
30		31		32		35
38		37		43		41
47		45		48		49

1
P05

오늘은 얼마나 잘했을까요?
칭찬 붙임 딱지를
붙여 주세요!

연산 실력 체크

정답 수	/ 40개
날 짜	월 일

🐤 2~4주 사고력 연산을 학습하기 전에 기본 연산 실력을 점검해 보세요.

🌷 ▨ 안에 알맞은 수를 써넣으시오.

1.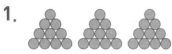

2.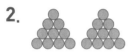

3.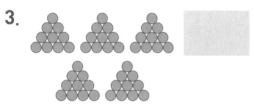

4.

5.

6.

7.

8.

9.

10.

11.

12.

수 배열표의 일부분입니다. █ 안에 알맞은 수를 써넣으시오.

13.

1	2	3	4	5
11	12	13	14	

14.

15	16	17	18	
25	26	27	28	29

15~16.

22	23	24		26
32	33		35	36

17~18.

	37	38	39	40
46	47	48	49	

19.

2
12
22
42

20~21.

3	4
13	14
23	
33	34
	44

22.

15
25
35
45

23~24.

7	8
	18
27	
37	38
47	48

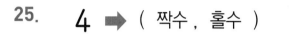

♀ ( )안의 알맞은 것에 ◯표 하시오.

♀ ⬤안에 >, <를 알맞게 써넣으시오.

25. 4 ➡ (짝수 , 홀수)

26. 9 ➡ (짝수 , 홀수)

27. 16 ➡ (짝수 , 홀수)

28. 20 ➡ (짝수 , 홀수)

29. 31 ➡ (짝수 , 홀수)

30. 47 ➡ (짝수 , 홀수)

31. 30 ⬤ 20

32. 15 ⬤ 16

33. 27 ⬤ 34

34. 20 ⬤ 17

35. 32 ⬤ 24

36. 37   38

37. 21 ◯ 24

39. 45 ◯ 44

38. 40 ◯ 38

40. 49 ◯ 50

연산 실력 분석

오답 수에 맞게 학습을 진행하시기 바랍니다.

평가	오답 수	학습 방법
최고예요	0 ~ 2개	전반적으로 학습 내용에 대해 정확히 이해하고 있으며 매우 우수합니다. 기본 연산 문제를 자신 있게 풀 수 있는 실력을 갖추었으므로 이제는 사고력을 향상시킬 차례입니다. 2주차부터 차근차근 학습을 진행해 보세요. 학습 [2주차] → [3주차] → [4주차]
잘했어요	3 ~ 4개	기본 연산 문제를 전반적으로 잘 이해하고 풀었지만 약간의 실수가 있는 것 같습니다. 틀린 문제를 다시 한 번 풀어 보고, 문제를 차근차근 푸는 습관을 갖도록 노력해 보세요. 매스티안 홈페이지에서 제공하는 보충 학습으로 연산 실력을 향상시킨 후 2, 3, 4주차 학습을 진행해 주세요. 학습 [틀린 문제 복습] → [보충 학습] → [2주차] → …
노력해요	5개 이상	개념을 정확하게 이해하고 있지 않아 연산을 하는데 어려움이 있습니다. 개념을 이해하고 연산 문제를 반복해서 연습해 보세요. 매스티안 홈페이지에서 제공하는 보충 학습이 연산 실력을 향상시키는데 도움이 될 것입니다. 여러분도 곧 연산왕이 될 수 있습니다. 조금만 힘을 내 주세요. 학습 [1주차 원리 중심 복습] → [보충 학습] → [2주차] → …

매스티안 홈페이지 : www.mathtian.com

 학습관리표

일 자			소요 시간	틀린 문항 수	확인
❶ 일차	월	일	:		
❷ 일차	월	일	:		
❸ 일차	월	일	:		
❹ 일차	월	일	:		
❺ 일차	월	일	:		

2주

수의 순서

🌷 주어진 수 중에서 **없는** 수를 찾아 ▨ 안에 쓰시오.

○ 보기 ○

12부터 21까지의 수

12	17	16
13	15	20
14	19	21

없는 수: **18**

1부터 10까지의 수

6	3	8
1	2	4
10	9	5

없는 수: ▨

14부터 23까지의 수

17	16	20
21	18	15
22	23	14

없는 수: ▨

20부터 29까지의 수

21	20	26
22	23	25
29	27	24

없는 수: ▨

32부터 41까지의 수

33	36	41
38	35	32
34	39	40

없는 수:

39부터 48까지의 수

47	41	46
42	45	40
48	39	43

없는 수:

2

P05

26부터 35까지의 수

28	32	31
33	27	34
26	35	29

없는 수:

41부터 50까지의 수

44	46	48
45	42	41
43	47	50

없는 수:

규칙을 찾아 빈칸에 알맞은 수를 써넣으시오.

보기

11	12	13
16	15	14
17	18	19

32		26
33	30	27
	29	28

23	18	17
22		16
	20	15

24		22
19		21
18	17	16

43	44	45
42		
41	48	47

	39	38
	42	37
34	35	36

❀ 규칙을 찾아 빈 곳에 알맞은 수를 써넣으시오.

2
일차

저울 셈

🌷 두 수의 크기를 비교하여 ◯ 안에 알맞게 써넣으시오.

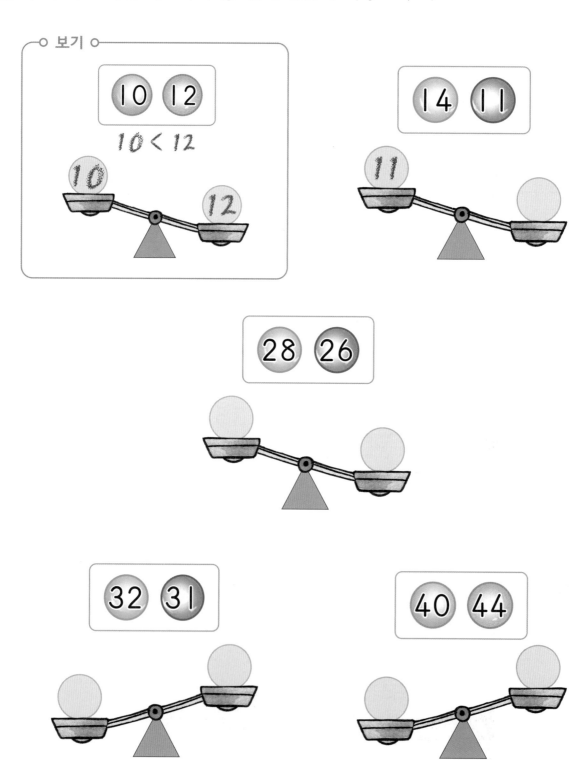

┌─ 보기 ─┐

10 12

10 < 12

14 11

28 26

32 31

40 44

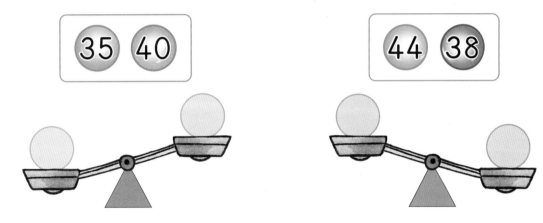

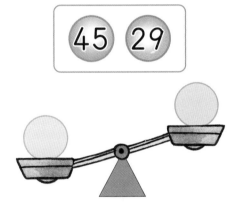

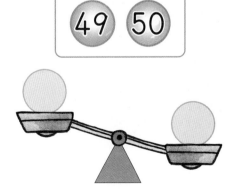

👧 두 수의 크기를 비교하여 ⬭ 안에 알맞게 써넣으시오.

| 32 20 | 16 26 |

$20 < 32$

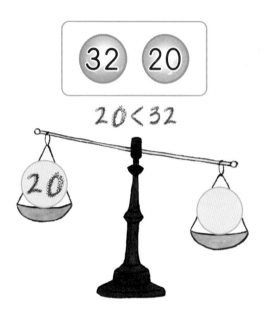

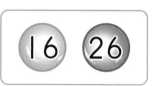

| 32 23 | 39 41 |

갈림길에서 더 큰 수를 따라갈 때 도착하게 되는 집을 찾아 ◯표 하시오.

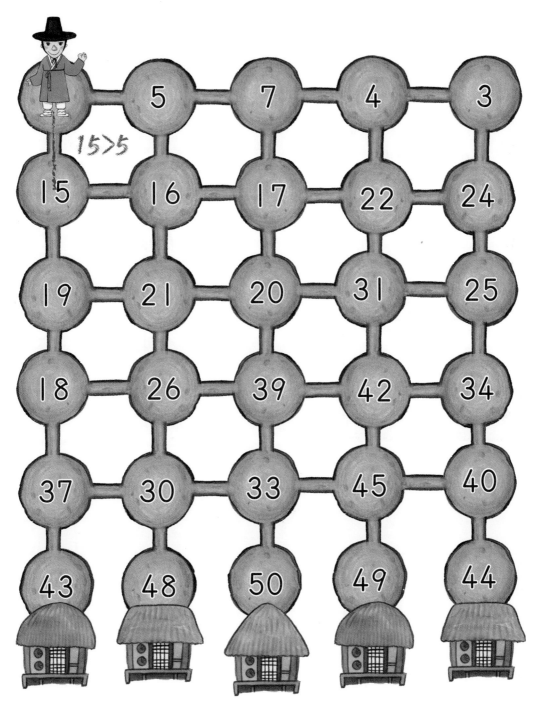

15>5

2
P05

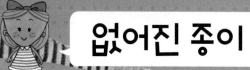

없어진 종이

🌷 연습장의 **없어진** 쪽수를 찾아 쓰시오.

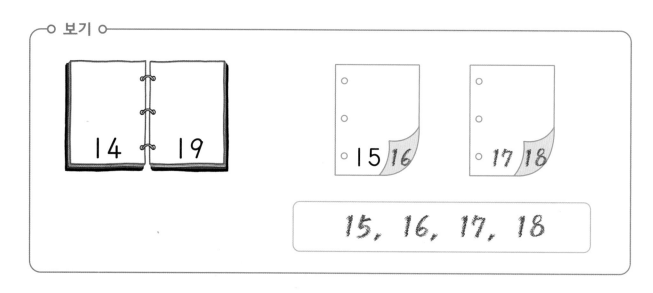

15, 16, 17, 18

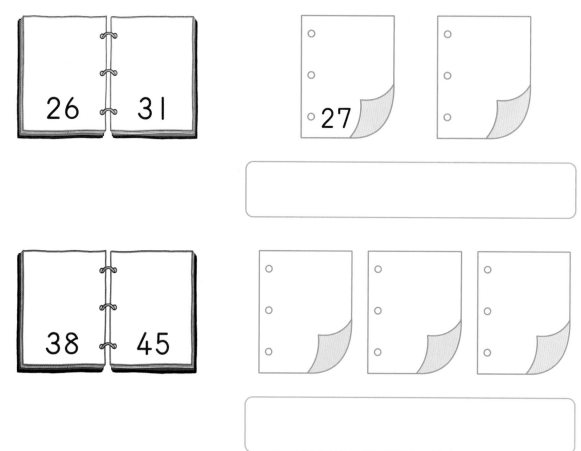

2
P05

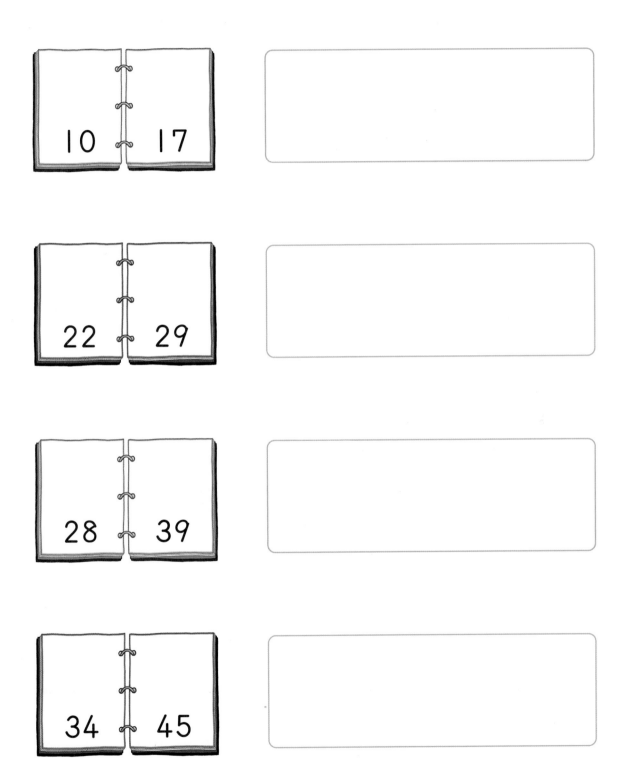

10   17

22   29

28   39

34   45

없는 종이의 장 수를 안에 써넣으시오.

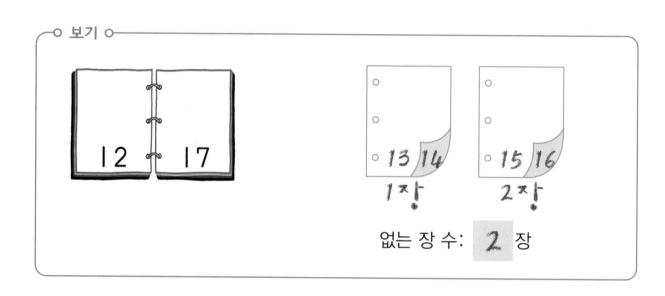

보기

12   17

13 14
1장

15 16
2장

없는 장 수: 2 장

18   25

없는 장 수: 장

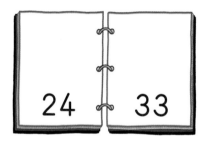

24   33

없는 장 수: 장

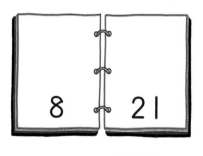

8   21

없는 장 수: 장

28   43

없는 장 수: 장

1부터 27까지 수를 순서대로 이어 그림을 완성하시오.

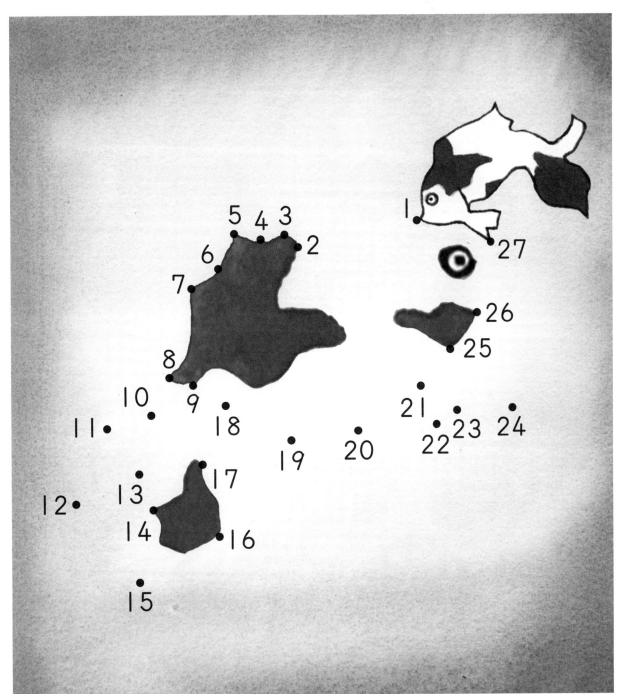

홀수와 짝수

🌷 조건에 맞는 수를 찾아 ▨ 안에 써넣으시오.

| 1 | 2 | 3 | 4 | 8 | 9 |

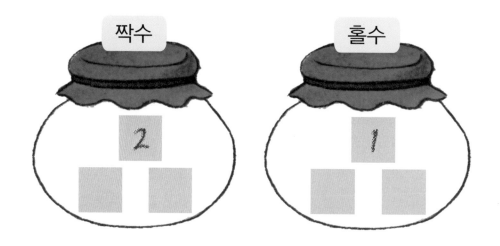

짝수

홀수

| 11 | 12 | 13 | 14 | 16 | 17 |

짝수

홀수

| 20 | 22 | 25 | 29 | 31 | 32 | 33 | 36 |

| 38 | 39 | 40 | 41 | 43 | 44 | 47 | 50 |

짝수를 찾아 색칠하고 나타나는 숫자를 쓰시오.

1	24	14	2	11
19	3	17	16	7
13	18	14	12	23
15	22	5	21	9
25	4	8	10	27

나타나는 숫자:

21	26	12	34	9
29	31	3	18	39
33	30	20	28	11
37	35	1	6	27
23	22	32	8	13

나타나는 숫자:

35	42	30	32	39
25	22	49	20	37
45	38	24	40	41
29	31	47	26	33
27	36	28	34	43

나타나는 숫자:

23	16	25	4	29
15	48	11	8	31
19	50	14	30	33
27	47	37	32	41
21	3	39	24	17

나타나는 숫자:

❤ **홀수를 찾아 색칠하여 동물들의 나이를 맞혀 보시오.**

살

3	27	1	10	19	21	7
18	20	25	12	9	2	4
23	5	17	24	33	31	13
29	8	26	14	22	6	41
15	39	37	28	11	43	35

2
P05

44	15	36	21	41	31	30
42	33	46	43	28	13	48
18	27	38	11	34	35	32
40	45	22	25	26	19	50
16	17	20	23	47	29	24

살

동전 세기

🌷 지갑 속에 들어 있는 돈이 모두 얼마인지 써 보시오.

─○ 보기 ○─

21 원

⬜ 원

⬜ 원

⬜ 원

　　　　원

　　　　원

　　　　원

　　　　원

5 일차

○의 개수만큼 10원, 5원, 1원짜리 동전을 붙여 주어진 금액을 만드시오.

온라인 활동지　준비물 ▶ 붙임 딱지

○ 보기 ○

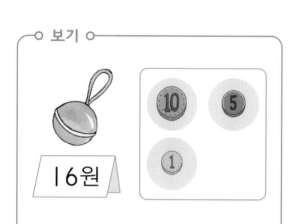

16원

21원

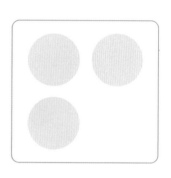

31원

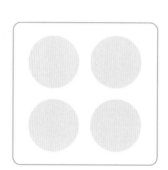

21원

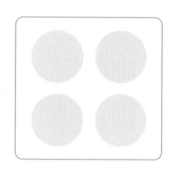

30원

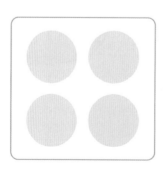

25원

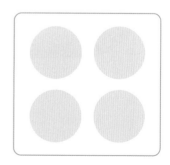

🔹 지나는 길에 있는 동전을 모두 주웠을 때, 금액을 써 보시오.

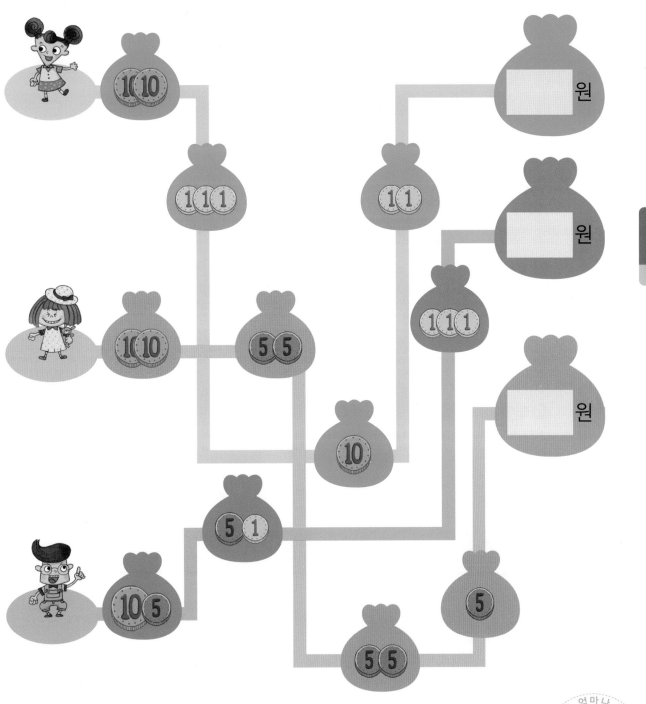

2
P05

학습관리표

일 자			소요 시간	틀린 문항 수	확인
❶ 일차	월	일	:		
❷ 일차	월	일	:		
❸ 일차	월	일	:		
❹ 일차	월	일	:		
❺ 일차	월	일	:		

3주

수 배열표

🌷 수 배열표를 보고 ▨ 안에 알맞은 수를 써넣으시오.

1	2	3	4	5	6	7	8	9	10
11	12	13	14	15	16	17	18	19	20
21	22	23	24	25	26	27	28	29	30
31	32	33	34	35	36	37	38	39	40
41	42	43	44	45	46	47	48	49	50

14	15	16
		36

8		10
18		
28		30

	11			
20		22		24
	31		33	

		15
23	24	
33		35
	44	

	28	
37		39
	47		50

30	31		33	34		36
			43			

3
P05

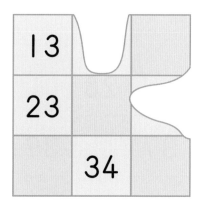

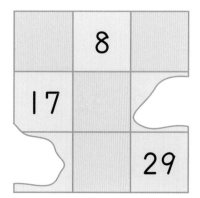

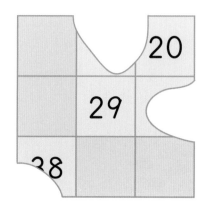

🔵 수 배열표의 일부분입니다. ▨ 안에 알맞은 수를 써넣으시오.

1	2	3	4	5	6	7	8	9	10
11	12	13	14	15	16	17	18	19	20
	22	23			26	27			

5 6

14

24   26

13

23

34

8

17

29

20

29

38

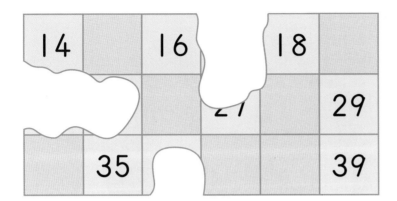

14		16		18	
			27		29
	35				39

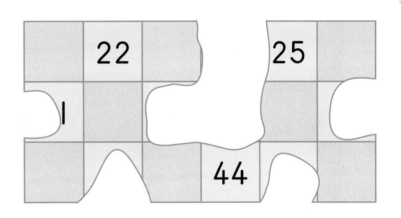

	22			25	
1					
			44		

3

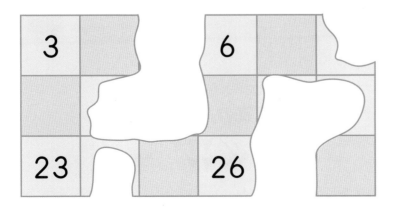

3		6	
23		26	

고대수

🌷 바빌로니아 수의 규칙을 찾아 ▨ 안에 알맞게 써넣으시오.

바빌로니아 수

▼	▼▼	▼▼▼	▼▼▼▼	▼▼▼▼▼	▼▼▼▼▼▼	▼▼▼▼▼▼▼
1	2	3	4	5	6	7

‹	‹▼	‹▼▼		‹▼▼▼▼	‹▼▼▼	‹▼▼▼▼
10	11	12	13	14	15	16

‹‹	‹‹▼		‹‹▼▼▼	‹‹▼▼▼		‹‹▼▼▼	‹‹▼▼▼
20	21	22	23	24	25	26	27

	‹‹‹▼	‹‹‹▼▼		‹‹‹▼▼▼	‹‹‹▼▼
30	31	32	33	34	35

‹‹‹‹			‹‹‹‹▼▼▼	‹‹‹‹▼▼▼
40	41	42	43	44

▼	‹	‹‹‹‹
1	10	50

17 →

29 →

3
P05

33 →

41 →

😊 그리스 수의 규칙을 찾아 ▨ 안에 알맞게 써넣으시오.

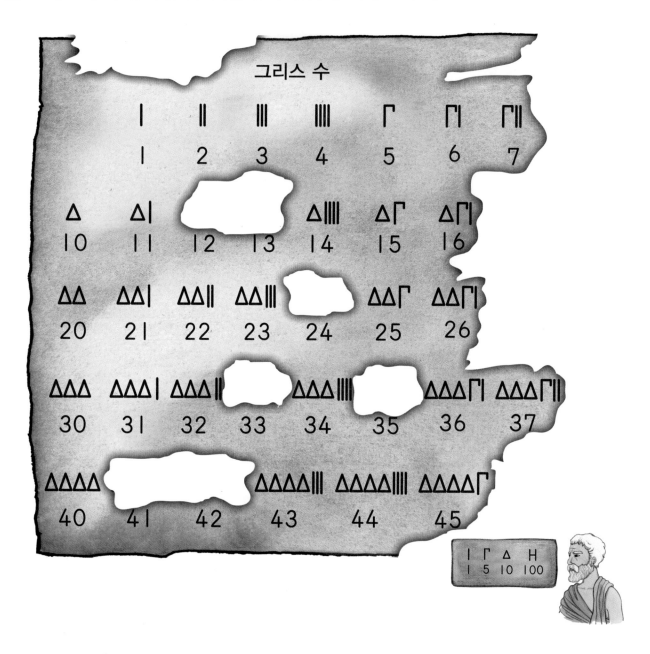

그리스 수

| 1 | 2 | 3 | 4 | 5 | 6 | 7 |

10 11 12 13 14 15 16

20 21 22 23 24 25 26

30 31 32 33 34 35 36 37

40 41 42 43 44 45

| Ι | Γ | Δ | Η |
| 1 | 5 | 10 | 100 |

102
ΔΙΙ → ▨

206
ΔΔΓΙ → ▨

△△△△ |||| →

△△△ Γ →

△△ Γ ||| →

△△△△ Γ |||| →

42 →

27 →

38 →

19 →

3

크기 비교

🌷 주어진 숫자 카드를 한 번씩 사용하여 식을 완성하시오.

○ 보기 ○

| 8 | 9 | | 4 | 8 | < | 4 | 9 |

| 3 | 5 | | 2 | □ | < | 2 | □ |

| 1 | 2 | | □ | 7 | < | □ | 5 |

| 0 | 1 | | □ | 3 | < | 4 | □ |

| 2 | 4 | | 4 | □ | < | □ | 9 |

0	2	4

□ 2 < □ □

0	1	3

□ □ < □ 7

1	3	4

4 □ < □ □

1	1	2

□ 2 < □ □

3	5	9

□ □ < 3 □

올바른 식이 되도록 ▨ 카드와 바꾸어야 하는 카드 l장을 찾아 색칠하시오.

온라인 활동지

○ 보기 ○

3 4 < 2 7 ➡ $24 < 37$

4 5 < 3 9 ➡ _____

4 4 < 3 2 ➡ _____

4 3 < 4 0 ➡ _____

3 0 < l 2 ➡ _____

2 4 < 2 1 ➡ _____

4 5 < 3 2 ➡ _____

2 3 < 1 2 ➡ _____

3 1 < 1 4 ➡ _____

4 2 < 2 5 ➡ _____

성냥개비 더하기, 빼기

🌷 ▨ 안에서 주어진 성냥개비를 **더하여** 서로 다른 수를 만들어 보시오.

🖨 온라인 활동지

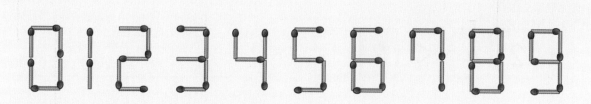

┌─○ 보기 ○─┐

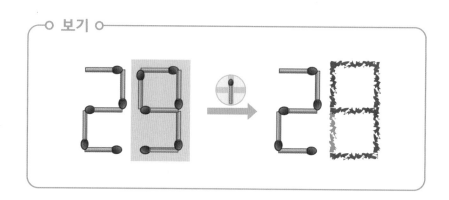

성냥개비 **1개를 더하여** 서로 다른 수를 만들어 보시오.

온라인 활동지

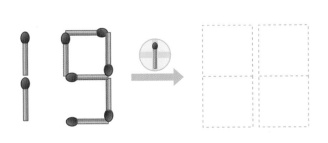

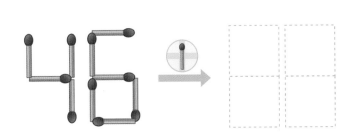

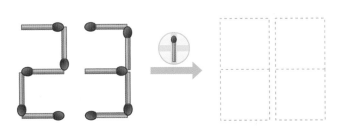

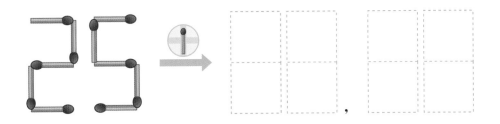

사고력을 키우는 팩토 연산 · 79

안에서 주어진 성냥개비를 **빼서** 서로 다른 수를 만들어 보시오.

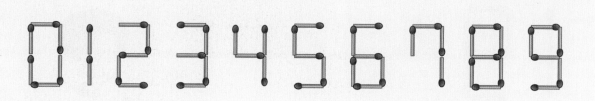

○ 보기 ○

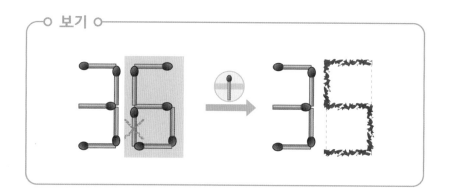

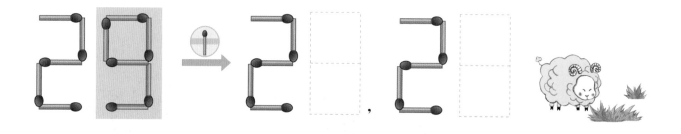

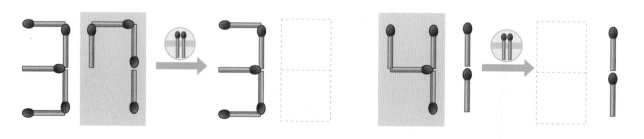

주어진 성냥개비를 **빼서** 서로 다른 수를 만들어 보시오. 🖶 온라인 활동지

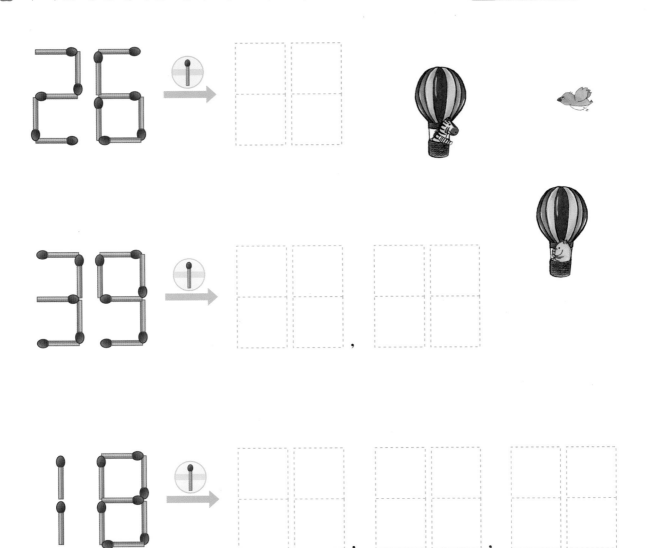

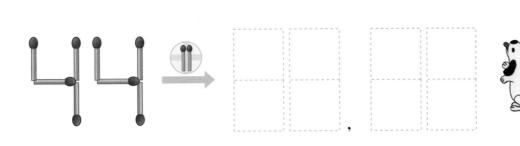

5 일차

두 자리 수 만들기

🌷 숫자 카드를 사용하여 두 자리 수를 만들어 보시오.

🖨 온라인 활동지

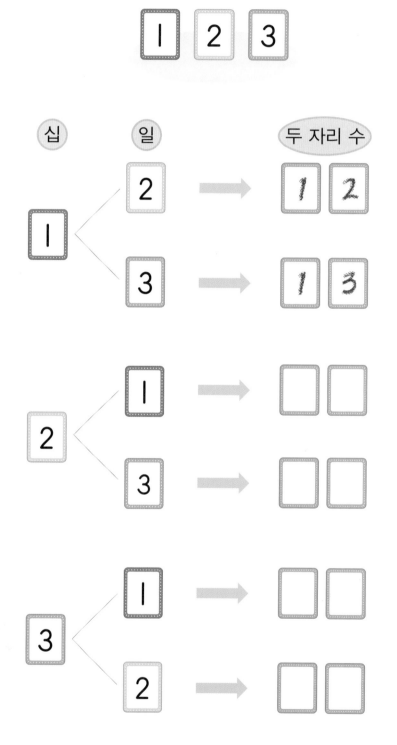

숫자 카드를 사용하여 두 자리 수를 만들어 보시오.

🖶 온라인 활동지

1
2 4

만들 수 있는 두 자리 수

4 0
2

만들 수 있는 두 자리 수

2
3 3

만들 수 있는 두 자리 수

3
P05

숫자 카드를 사용하여 조건 에 맞는 두 자리 수를 모두 만들어 보시오.

온라인 활동지

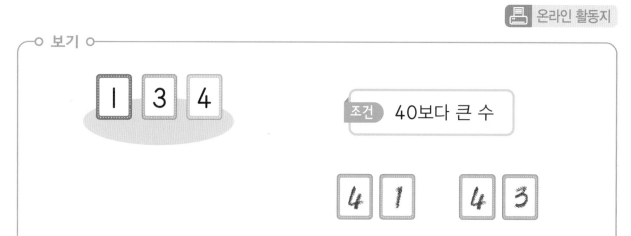

2 3 4

조건 33보다 큰 수

⬜⬜ ⬜⬜ ⬜⬜

1 1 4

조건 15보다 작은 수

⬜⬜ ⬜⬜

 0 2 4

조건 35보다 큰 수

□ □   □ □

3 4 4

조건 가장 큰 수

□ □

3
P05

0 1 2

조건 가장 작은 수

□ □

학습관리표

일 자			소요 시간	틀린 문항 수	확인
❶ 일차	월	일	:		
❷ 일차	월	일	:		
❸ 일차	월	일	:		
❹ 일차	월	일	:		
❺ 일차	월	일	:		

4주

1 일차

수 나타내기

🌷 고대 페루에서 매듭으로 수를 나타냈던 '키푸'의 규칙을 찾아 ▨ 안에 알맞은 수를 써넣으시오.

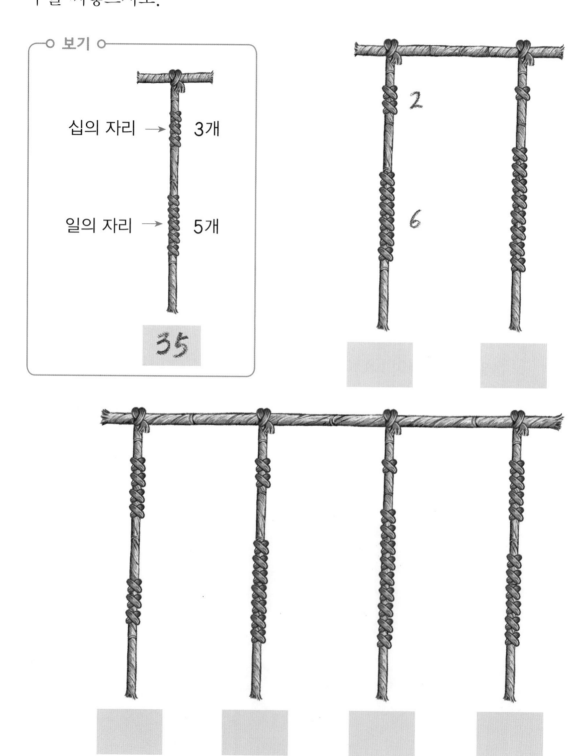

보기

십의 자리 → 3개

일의 자리 → 5개

35

2

6

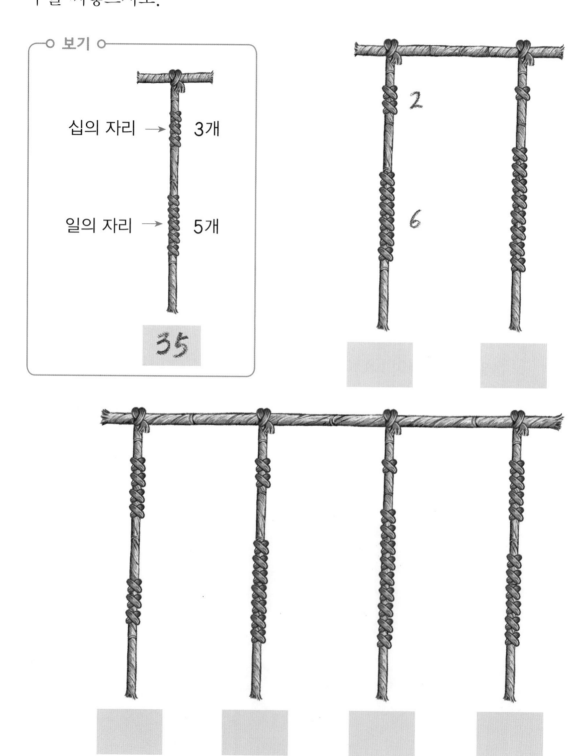

주어진 수를 '키푸'로 표현해 보시오.

보기

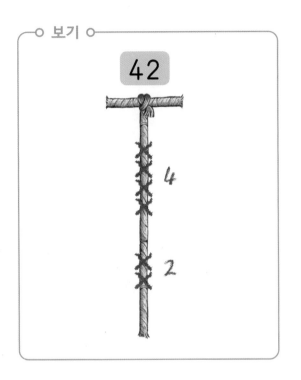

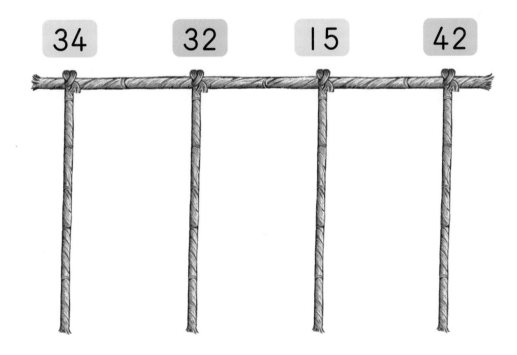

P05

8 주판의 규칙을 찾아 ▨ 안에 알맞은 수를 써넣으시오.

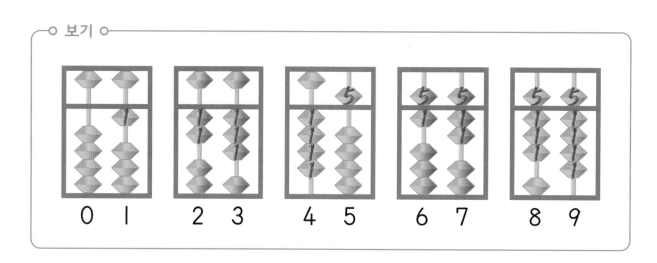

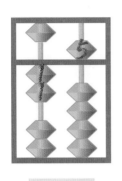

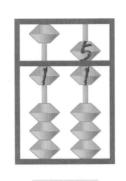

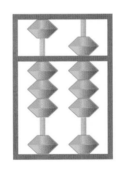

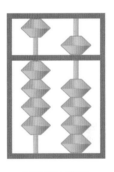

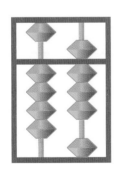

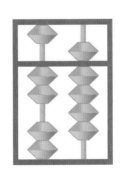

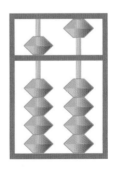

2 일차

수 분류하기

🌷 주어진 수를 알맞게 분류하여 써넣으시오.

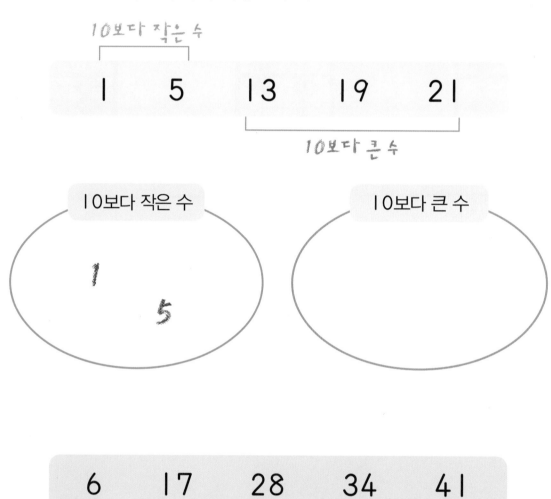

10보다 작은 수

| 1 | 5 | 13 | 19 | 21 |

10보다 큰 수

10보다 작은 수

1

5

10보다 큰 수

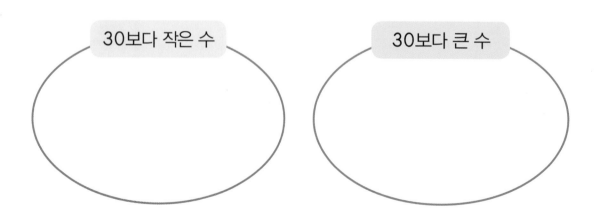

| 6 | 17 | 28 | 34 | 41 |

30보다 작은 수

30보다 큰 수

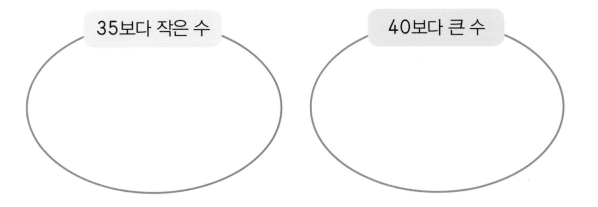

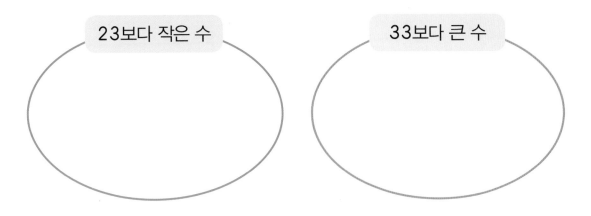

😊 주어진 수를 알맞게 분류하여 써넣으시오.

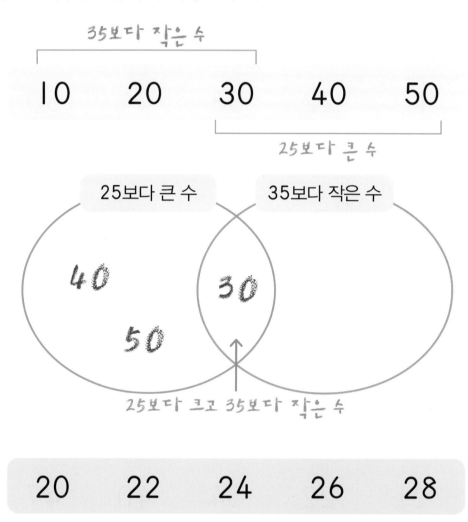

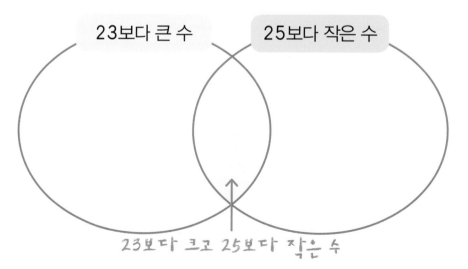

39   41   43   44   48

42보다 큰 수   45보다 작은 수

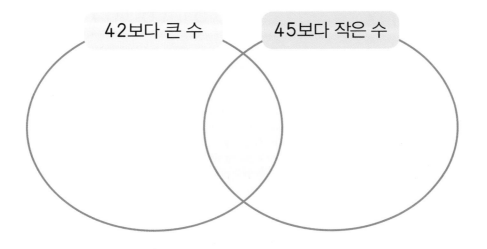

8   15   24   42   49

10보다 큰 수   30보다 작은 수

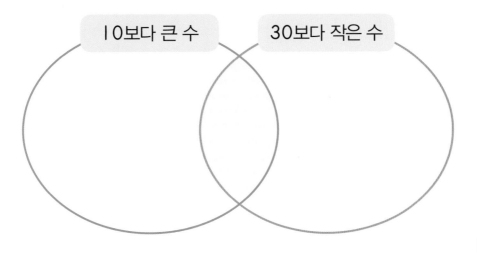

3
일차

도형이 나타내는 숫자

🌷 도형 안에 들어갈 수 있는 숫자를 모두 찾아 ◯표 하시오.

┌─○ 보기 ○─────────────────────────────────────┐
│   │
│   ┌─────────────┐   ┌──────────────────┐ │
│   │ 15 < 1♥   │ ➡   │ 0   1   2   3   4│ │
│   │   1 6   │   │ 5 ⑥ ⑦ ⑧ ⑨│ │
│   │   1 7   │   └──────────────────┘ │
│   │   ⋮   │   │
│   └─────────────┘   │
└──┘

┌─────────────┐   ┌──────────────────┐
│ 27 < 2★   │ ➡   │ 0   1   2   3   4│
│   │   │ 5   6   7   8   9│
└─────────────┘   └──────────────────┘

┌─────────────┐   ┌──────────────────┐
│ 2◆ < 25   │ ➡   │ 0   1   2   3   4│
│   │   │ 5   6   7   8   9│
└─────────────┘   └──────────────────┘

♥2 < 23   ➡

0	1	2	3	4
5	6	7	8	9

◆5 < 35   ➡

0	1	2	3	4
5	6	7	8	9

4
P05

★7 < 41   ➡

0	1	2	3	4
5	6	7	8	9

 ♥와 ▲ 안에 공통으로 들어갈 수 있는 숫자를 찾아 [   ] 안에 써넣으시오.

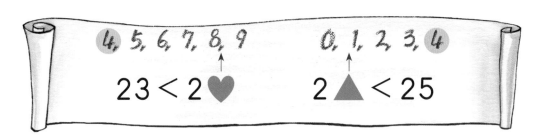

4, 5, 6, 7, 8, 9   0, 1, 2, 3, 4

23 < 2♥   2▲ < 25

공통으로 들어갈 수 있는 숫자 :

17 < 1♥   38 < 3▲

공통으로 들어갈 수 있는 숫자 :

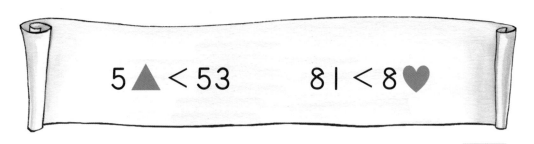

5▲ < 53   81 < 8♥

공통으로 들어갈 수 있는 숫자 :

▲5 < 4l　　♥2 < l5

공통으로 들어갈 수 있는 숫자 :

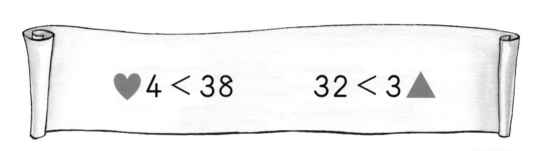

♥4 < 38　　32 < 3▲

공통으로 들어갈 수 있는 숫자 :

4♥ < 42　　▲l < 35

공통으로 들어갈 수 있는 숫자 :

성냥개비 옮기기

🌱 ▨ 안에서 성냥개비 1개를 옮겨서 서로 다른 수를 만들어 보시오.

🖨 온라인 활동지

> ○ 보기 ○
>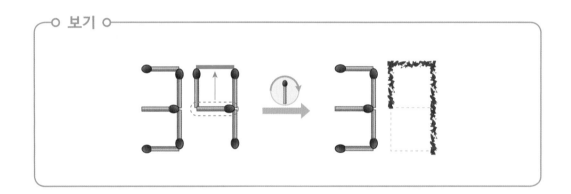

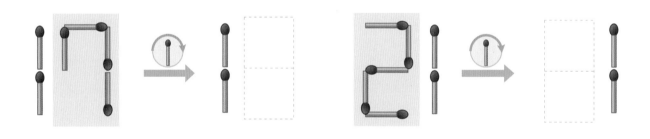

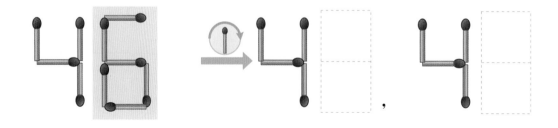

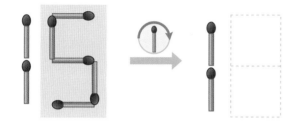 

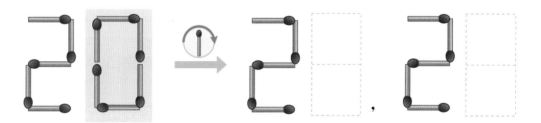

4
P05

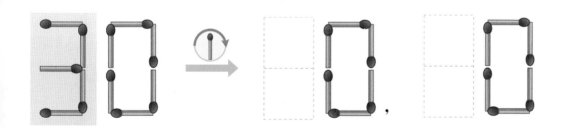

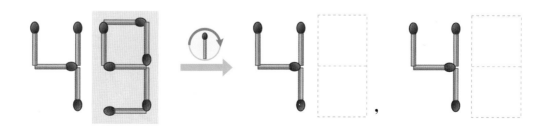

😊 성냥개비 1개를 **옮겨서** 서로 다른 수를 만들어 보시오.

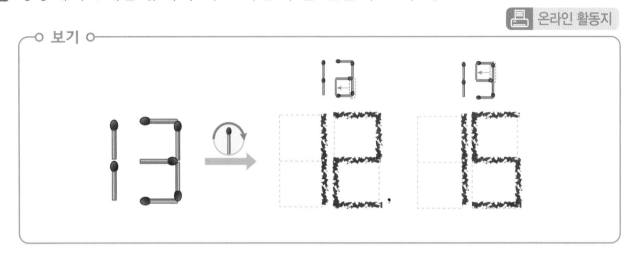

보기

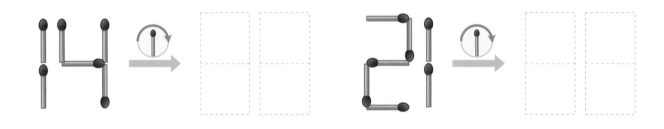

4

P05

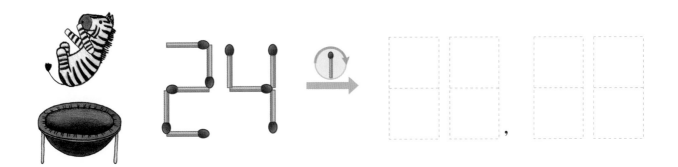

5 일차 · 수 배치

🌷 주어진 수를 한 번씩만 사용하여 퍼즐을 완성하시오.

보기

25, 50

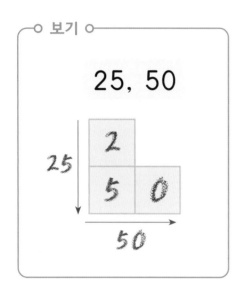

24, 45

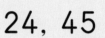

11, 19

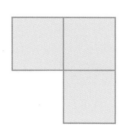

33, 34, 40

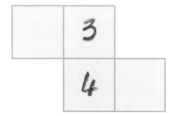

21, 29, 39

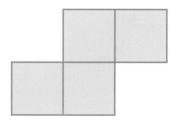

13, 14, 39, 49

1	
4	

11, 21, 23, 31

40, 44, 45, 50

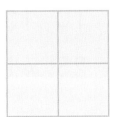

30, 35, 40, 41

22, 24, 45, 50

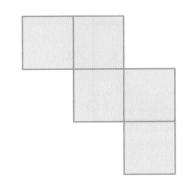

4

P05

주어진 수를 한 번씩만 사용하여 퍼즐을 완성하시오.

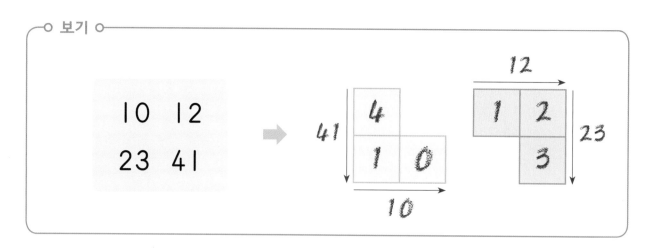

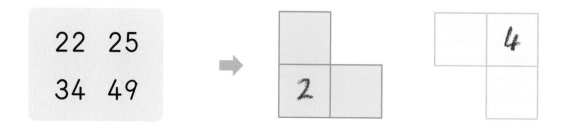

13 26
46 49 51

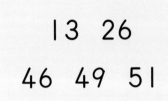 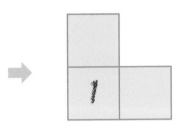 

14 21 23
29 32 34

14 24 28
38 39 46

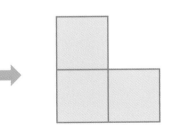 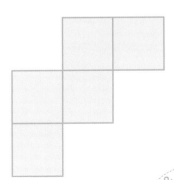

memo

P05
정답

봄봄봄~, 봄이 왔어요. 숲 속에 새들이 지저귀며 봄을 알리네요. 물끄러미 앞을 바라보고 있는 사슴 한 마리를 두고 양쪽 나무에는 파릇파릇 나뭇잎이 돋아나고 있어요. 나뭇가지에 나뭇잎이 몇 개씩 돋아나는 걸까요? 나뭇잎을 붙이며 그 수를 알아보세요.

P01권에서 배운 10까지의 수에 이어 10개까지 한 묶음의 의미를 통해 20까지의 수를 알아봅니다. 10까지의 수를 배울 때 사용한 계란판 모형을 확장하여 10개씩 한 묶음과 낱개를 알아보고, 20까지의 수가 어떻게 구성되는지를 스스로 깨닫게 해 주세요.

10
11 12 13 14 15
16 17 18

18

10

18

18

P 8~9

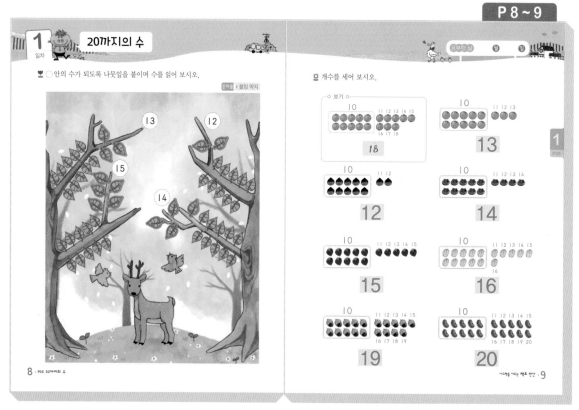

1 일차

♀ 개수를 세어 보시오.

10
13

10
15

10
12

10
18

10
11

10
14

10
20

10
16

10
17

10
18

10
14

10
15

10
16

10
19

10
17

10
20

---

1 일차

♀ 개수를 세어 보시오.

12

11

17

13

15

16

18

12

18

17

14

20

19

20

16

19

스토리텔링

오늘은 보람이네 반 아이들이 그 동안 모은 칭찬 붙임 딱지로 시상을 하는 날이에요. 선생님이 칠판을 보며 누가 가장 많이 모았는지 살펴보고 있어요. 아이들도 짝궁과 수군거리며 궁금해 하네요. 과연 누가 상을 받을까요? 칭찬 붙임 딱지를 붙이며 알아보세요.

학습가이드

10개씩 묶음과 낱개의 수를 이용하여 50까지의 수를 학습합니다. 아직까지 십의 자리 수, 일의 자리 수라는 용어는 사용하지 않고, '10개씩 묶음, 낱개'등의 용어를 사용하여 몇십 몇의 수의 구조를 파악할 수 있게 지도해 주세요. 아이들은 처음으로 십진 기수법의 원리에 대한 초보적인 이해를 하게 되며 이후 A01권에서 배우는 '100까지의 수'에서 좀 더 큰 수로 십진 기수법 원리를 익히게 됩니다.

P 14 ~ 15

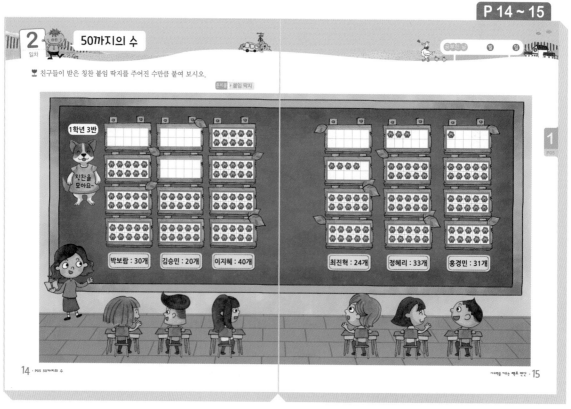

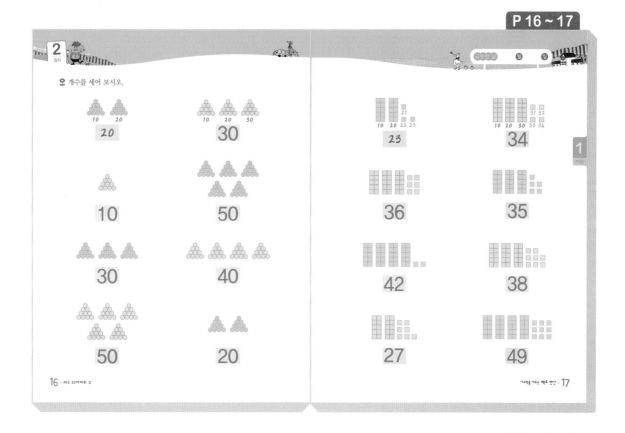

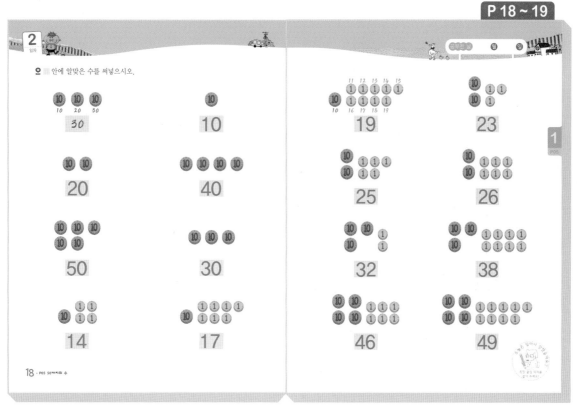

스토리텔링

아이들이 수영장에 놀러 왔나 봐요. 이제 옷을 막 갈아입고 수영장에 들어가려고 하는지 한 아이는 몸에 튜브를 끼고, 다른 아이는 오리발을 챙기고 있어요. 그런데 저런… 어쩌죠? 서둘러 수영장에 간 친구들이 사물함의 문 닫는 것을 잊어버린 것 같아요. 열린 사물함은 몇 번일까요?

학습가이드

50까지의 수의 순서를 학습하는 과정입니다. 수 배열표에서 1 큰 수, 1 작은 수, 10 큰 수, 10 작은 수를 찾고, 수의 위치와 관계를 이용하여 수의 순서를 익힐 수 있도록 지도해 주세요. 수 배열표는 수의 순서를 익히는 유용한 도구일 뿐만 아니라 덧셈과 뺄셈을 쉽게 이해하게 해 줍니다.

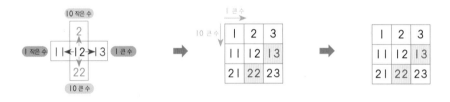

P 20 ~ 21

3일차 수의 배열

열린 사물함에 문을 붙여 사물함의 번호를 알아보시오.

1~50

수의 순서에 맞게 ▨ 안에 알맞은 수를 써넣으시오.

1	2	3	4	5	6	7	8	9	10
11	12	13	14	15	16	17	18	19	20
21	22	23	24	25	26	27	28	29	30
31	32	33	34	35	36	37	38	39	40
41	42	43	44	45	46	47	48	49	50

1	2	3	4	5	6	7	8	9	10
11	12	13	14	15	16	17	18	19	20
21	22	23	24	25	26	27	28	29	30
31	32	33	34	35	36	37	38	39	40
41	42	43	44	45	46	47	48	49	50

20 · P05 50까지의 수

사고력을 키우는 팩토 연산 · 21

P 22 ~ 23

3 일차

수 배열표의 일부분입니다. ▨ 안에 알맞은 수를 써넣으시오.

1 큰 수 →
| 1 | 2 | 3 | 4 | 5 | 6 |

10 큰 수 ↓
| 7 |
| 17 |
| 27 |
| 37 |
| 47 |

1 큰 수 →
10 큰 수 ↓
5	6	7	8
15	16	17	18
25	26	27	28
35	36	37	38

1 큰 수 →
10 큰 수 ↓
| 12 | 13 | 14 | 15 | 16 |
| 22 | 23 | 24 | 25 | 26 |

10 큰 수 ↓
11	12
21	22
31	32
41	42

1 큰 수 →
| 21 | 22 | 23 | 24 | 25 | 26 |

10 큰 수 ↓
| 10 |
| 20 |
| 30 |
| 40 |
| 50 |

1 큰 수 →
10 큰 수 ↓
16	17	18	19
26	27	28	29
36	37	38	39
46	47	48	49

1 큰 수 →
10 큰 수 ↓
| 33 | 34 | 35 | 36 | 37 |
| 43 | 44 | 45 | 46 | 47 |

10 큰 수 ↓
14	15
24	25
34	35
44	45

1
P05

P 24 ~ 25

3 일차

수 배열표의 일부분입니다. ▨ 안에 알맞은 수를 써넣으시오.

| 2 | 3 | 4 | 5 | 6 | 7 |
| 12 | 13 | 14 | 15 | 16 | 17 |

| 2 |
| 12 |
| 22 |
| 32 |
| 42 |

11	12	13
21	22	23
31	32	33

5	6
15	16
25	26
35	36
45	46

5	6	7	8	9
15	16	17	18	19
25	26	27	28	29

| 4 | 5 | 6 | 7 | 8 | 9 |
| 14 | 15 | 16 | 17 | 18 | 19 |

| 6 |
| 16 |
| 26 |
| 36 |
| 46 |

23	24	25
33	34	35
43	44	45

4	5
14	15
24	25
34	35
44	45

26	27	28	29	30
36	37	38	39	40
46	47	48	49	50

1
P05

햇님반, 달님반 어린이들이 유치원 버스를 타려고 줄을 서 있어요. 버스 안에는 자리가 2개씩 붙어 있네요. 아이들은 오늘 누구와 같이 앉게 될지 설레고 궁금해 하는 것 같아요. 그런데 짝이 없는 친구가 있으면 어쩌죠? 친구들을 버스에 앉혀 보며 알아보세요.

학습가이드

둘씩 짝을 지을 수 있는 수를 '짝수'로, 둘씩 짝을 지을 수 없는 수를 '홀수'로 약속하여 짝수와 홀수를 학습하는 과정입니다. 9 이하의 수에서 둘씩 묶는 방법으로 홀수와 짝수를 구별합니다. 10 이상의 수에서는 10개씩 묶음의 수가 짝수임을 인지하여 낱개의 수만 보고도 홀수와 짝수를 판단할 수 있도록 지도해 주세요.

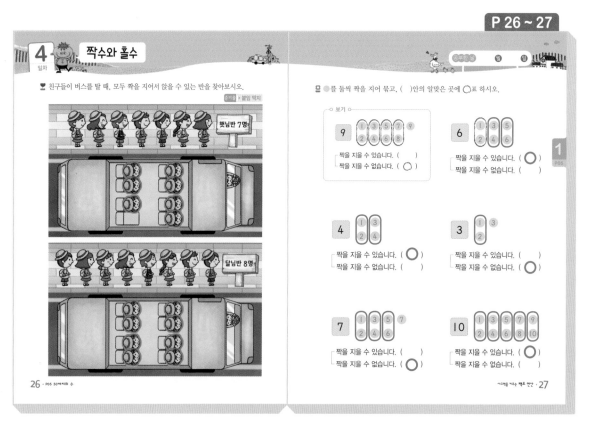

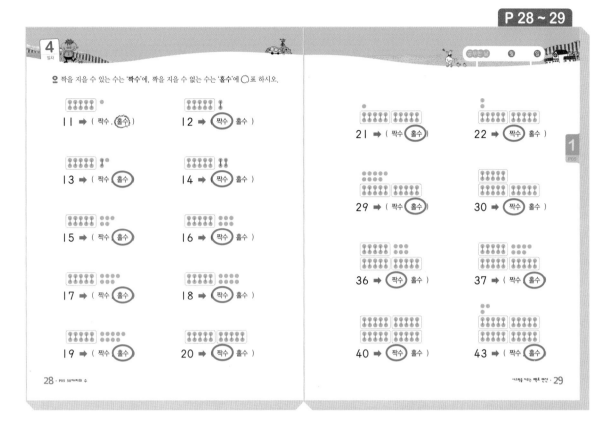

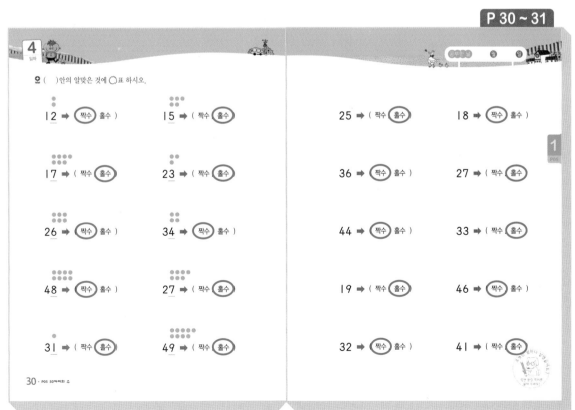

1주 5일차 두 수의 크기 비교

 **스토리텔링**

두 아이가 모금함 앞에 노란 띠를 두르고 있어요. 첫 번째 모금함은 어려운 이웃들을 돕기 위해, 두 번째 모금함은 자연 보호를 위해 모금을 하고 있네요. 그런데 지금까지 얼마나 많은 돈이 모였을까요? 또 어느 모금함에 돈이 더 많이 모였는지 동전을 붙이며 알아보세요.

 학습가이드

50까지의 수에서 두 수의 크기를 비교하는 과정입니다. 두 자리 수의 크기를 비교할 때에는 먼저 10개씩 묶음의 수를 비교하고, 10개씩 묶음의 수가 같은 경우에는 낱개의 수를 비교한다는 것을 중점적으로 지도해 주세요.

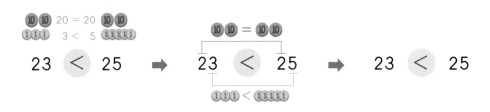

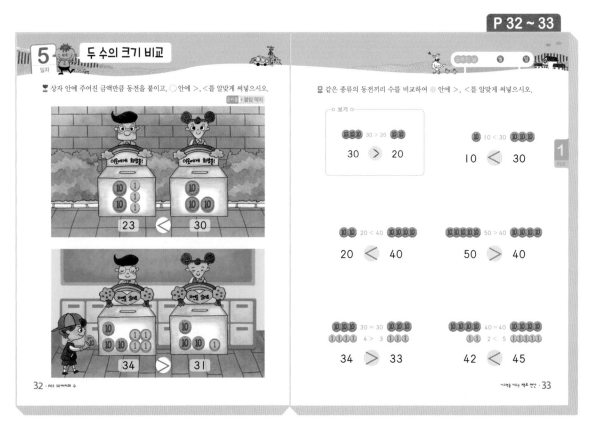

5
일차

♣ 두 수의 크기를 비교하여 ◯안에 >, <를 알맞게 써넣으시오.

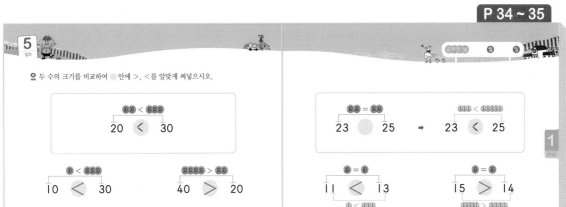

20 < 30

10 < 30   40 > 20

30 > 20   20 > 10

23 < 50   37 < 40

41 > 34   49 < 50

23 ◯ 25 ➡ 23 < 25

11 < 13   15 > 14

25 > 21   26 < 29

32 < 34   39 > 38

40 < 42   47 > 45

5
일차

♣ 두 수의 크기를 비교하여 ◯안에 >, <를 알맞게 써넣으시오.

20 > 10   10 < 30

30 < 40   40 > 20

20 < 50   45 > 35

21 > 13   26 < 30

29 < 32   37 > 27

40 > 38   49 < 50

11 < 13   14 < 17

19 > 18   23 > 20

25 > 22   28 < 29

30 < 31   32 < 35

38 > 37   43 > 41

47 > 45   48 < 49

P 38 ~ 39

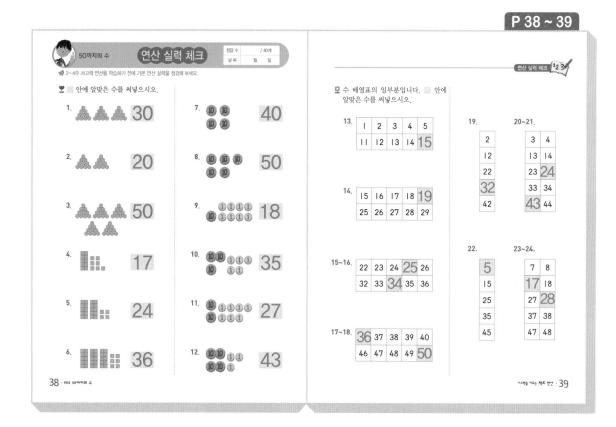

P 40 ~ 41

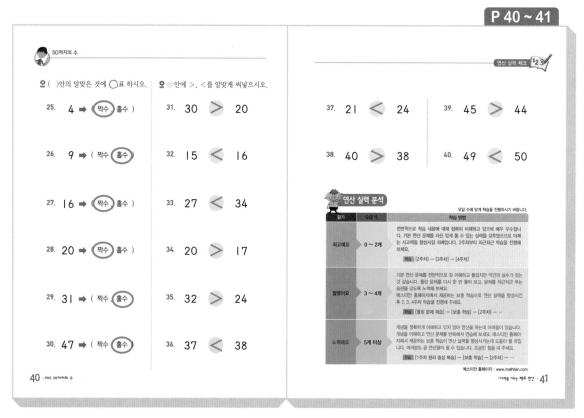

P 44 ~ 45

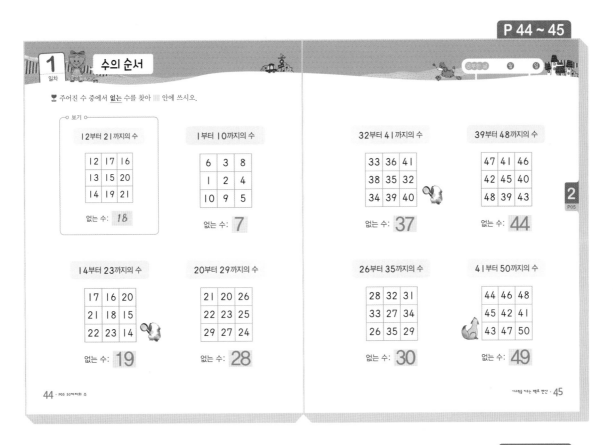

P 46 ~ 47

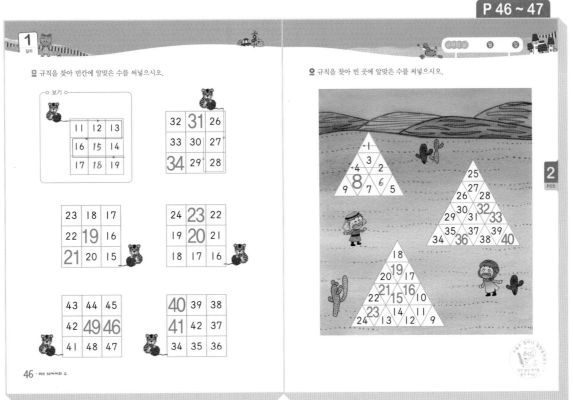

P 48 ~ 49

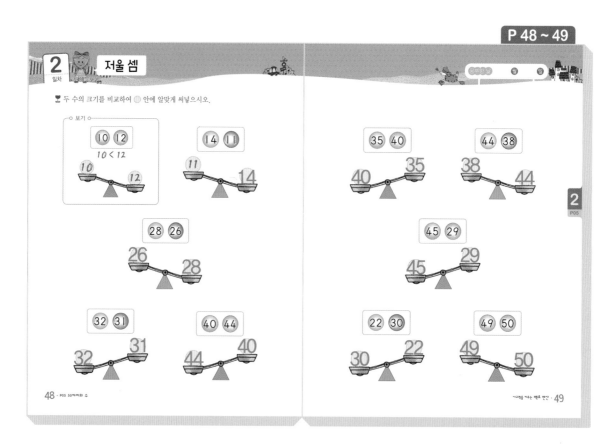

P 50 ~ 51

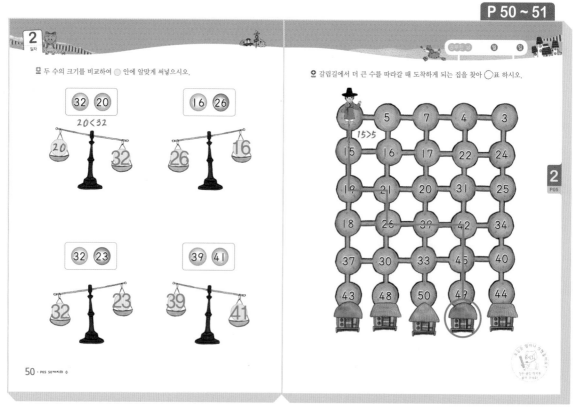

P 52 ~ 53

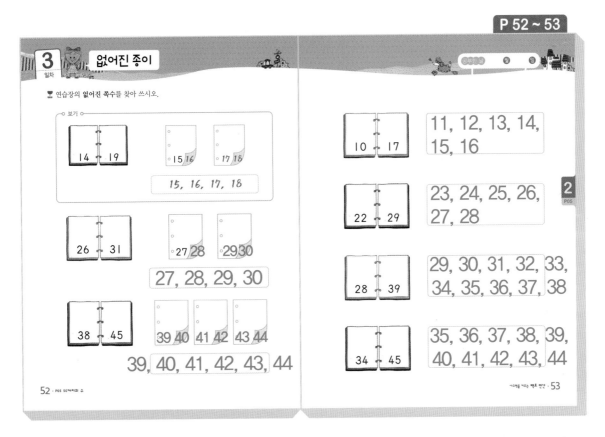

3일차 없어진 종이

🏆 연습장의 없어진 쪽수를 찾아 쓰시오.

보기

14 · 19

15 16 · 17 18

15, 16, 17, 18

26 · 31

27 28 · 29 30

27, 28, 29, 30

38 · 45

39 40 · 41 42 · 43 44

39, 40, 41, 42, 43, 44

10 · 17

11, 12, 13, 14, 15, 16

22 · 29

23, 24, 25, 26, 27, 28

28 · 39

29, 30, 31, 32, 33, 34, 35, 36, 37, 38

34 · 45

35, 36, 37, 38, 39, 40, 41, 42, 43, 44

52 · P05 50까지의 수

수리을 키우는 팩토 연산 · 53

P 54 ~ 55

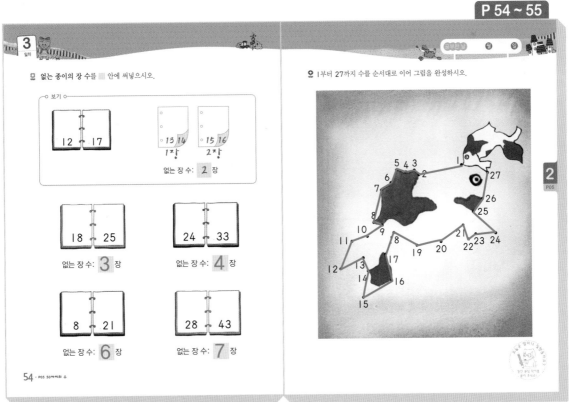

3일차

🏆 없는 종이의 장 수를 안에 써넣으시오.

보기

12 · 17

13 14 · 15 16

1장 · 2장

없는 장 수: 2 장

18 · 25

없는 장 수: 3 장

24 · 33

없는 장 수: 4 장

8 · 21

없는 장 수: 6 장

28 · 43

없는 장 수: 7 장

🏆 1부터 27까지 수를 순서대로 이어 그림을 완성하시오.

54 · P05 50까지의 수

P 56 ~ 57

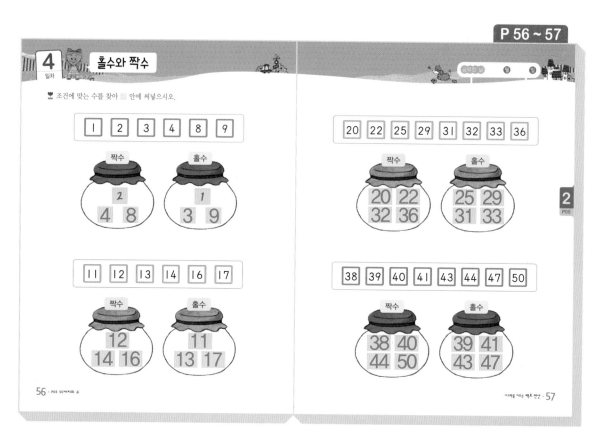

P 58 ~ 59

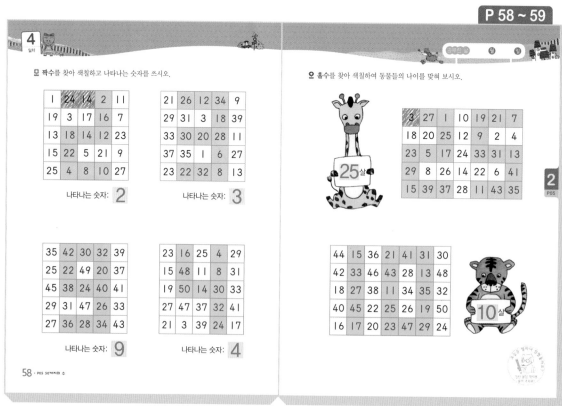

P 60 ~ 61

5
일차
동전 세기

♥ 지갑 속에 들어 있는 돈이 모두 얼마인지 써 보시오.

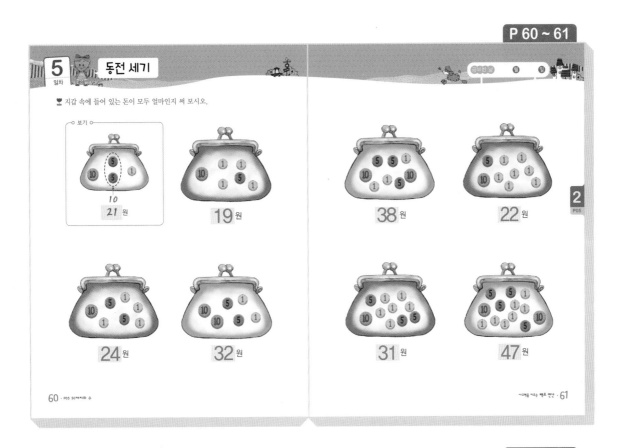

P 62 ~ 63

5
일차

🐹 ●의 개수만큼 10원, 5원, 1원짜리 동전을 붙여 주어진 금액을 만드시오.

♣ 지나는 길에 있는 동전을 모두 주웠을 때, 금액을 써 보시오.

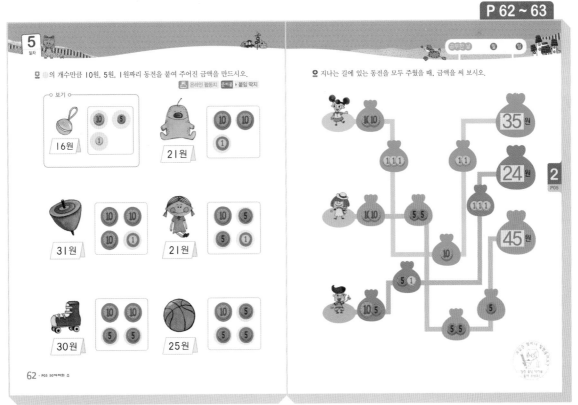

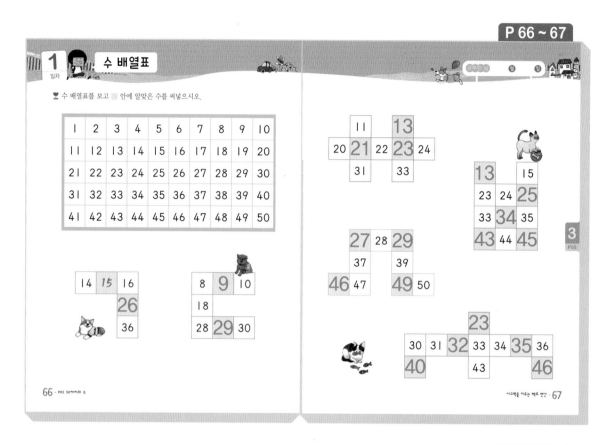

P 66 ~ 67

1 일차 수 배열표

♥ 수 배열표를 보고 ▨ 안에 알맞은 수를 써넣으시오.

1	2	3	4	5	6	7	8	9	10
11	12	13	14	15	16	17	18	19	20
21	22	23	24	25	26	27	28	29	30
31	32	33	34	35	36	37	38	39	40
41	42	43	44	45	46	47	48	49	50

66 · P05 50까지의 수

67

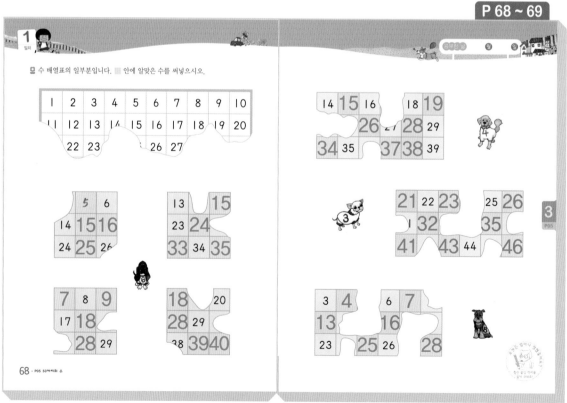

P 68 ~ 69

1 일차

▨ 수 배열표의 일부분입니다. ▨ 안에 알맞은 수를 써넣으시오.

68 · P05 50까지의 수

P 70 ~ 71

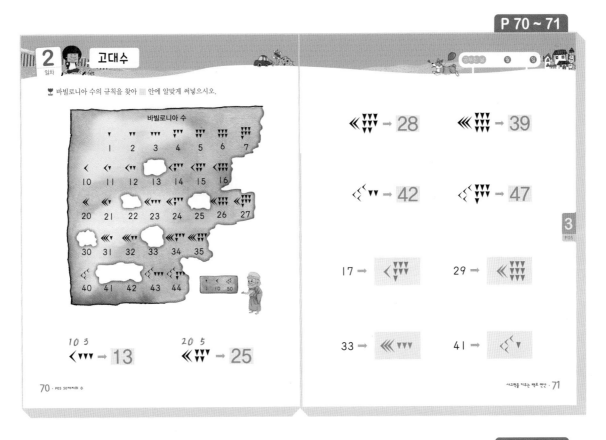

P 72 ~ 73

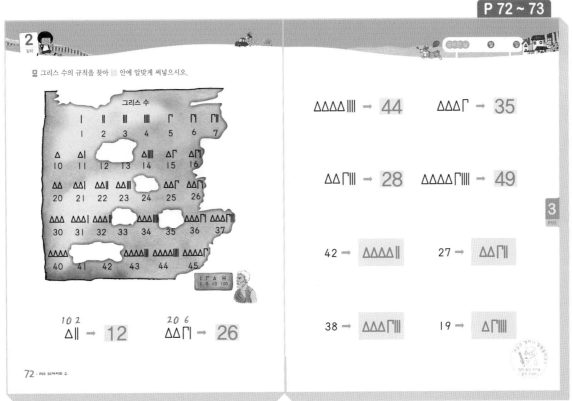

P 74 ~ 75

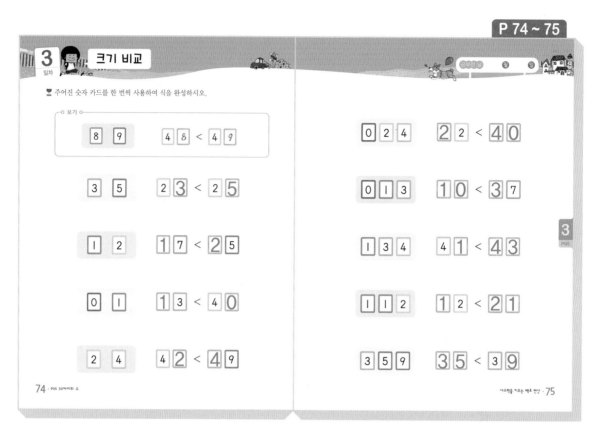

3 크기 비교

일차

주어진 숫자 카드를 한 번씩 사용하여 식을 완성하시오.

○ 보기 ○

8 9   4 8 < 4 9

3 5   2 3 < 2 5

1 2   1 7 < 2 5

0 1   1 3 < 4 0

2 4   4 2 < 4 9

0 2 4   2 2 < 4 0

0 1 3   1 0 < 3 7

1 3 4   4 1 < 4 3

1 1 2   1 2 < 2 1

3 5 9   3 5 < 3 9

74 · P05 50까지의 수

사고력을 키우는 팩토 연산 · 75

P 76 ~ 77

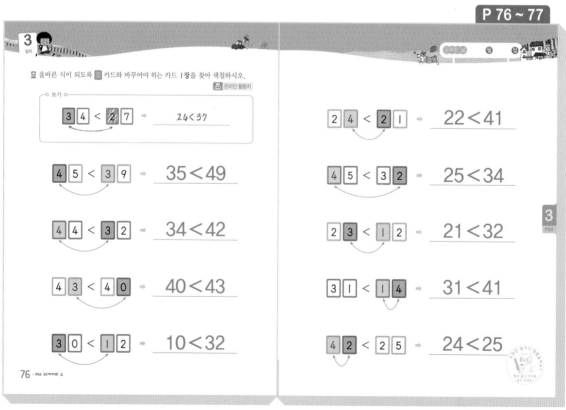

3

일차

올바른 식이 되도록 ▨ 카드와 바꾸어야 하는 카드 1장을 찾아 색칠하시오.

온라인 활동지

○ 보기 ○

3 4 < 2 7 → 24<37

4 5 < 3 9 → 35<49

4 4 < 3 2 → 34<42

4 3 < 4 0 → 40<43

3 0 < 1 2 → 10<32

2 4 < 2 1 → 22<41

4 5 < 3 2 → 25<34

2 3 < 1 2 → 21<32

3 1 < 1 4 → 31<41

4 2 < 2 5 → 24<25

76 · P05 50까지의 수

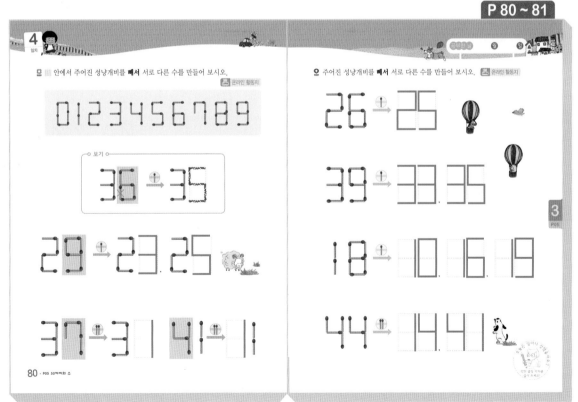

P 82 ~ 83

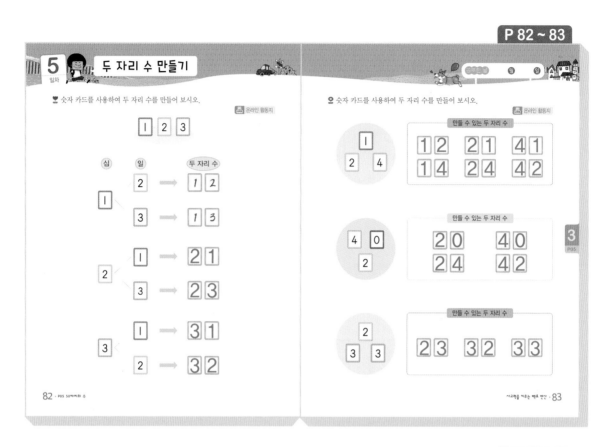

P 84 ~ 85

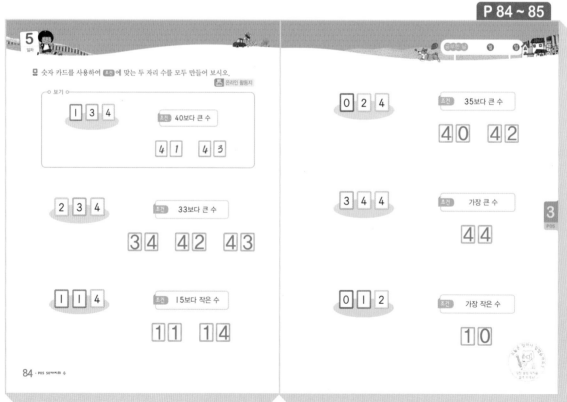

P 88 ~ 89

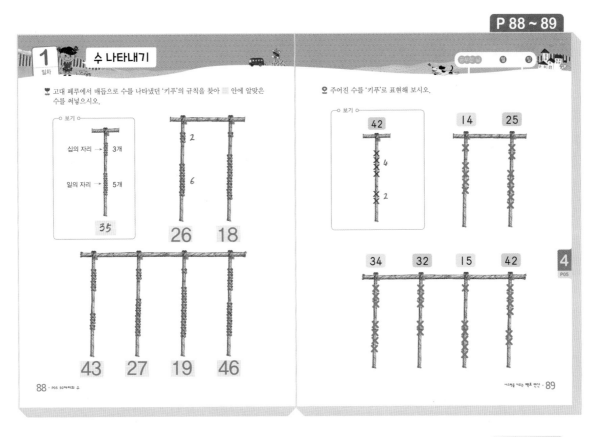

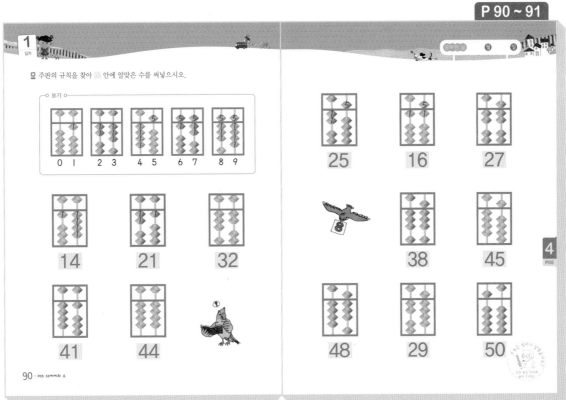

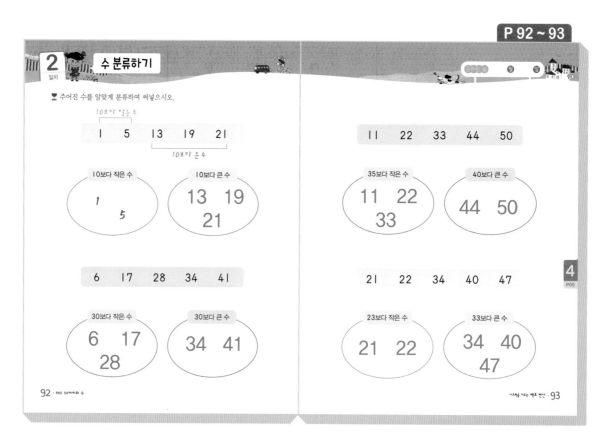

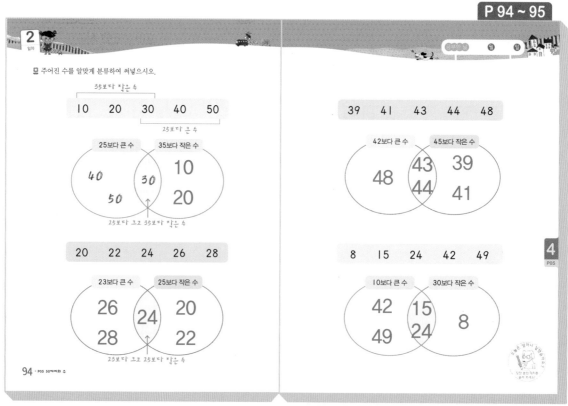

P 96 ~ 97

3일차 도형이 나타내는 숫자

◆ 도형 안에 들어갈 수 있는 숫자를 모두 찾아 ◯표 하시오.

보기

$15 < 1♥$ ➡ 0 1 2 3 4 5 ⑥ ⑦ ⑧ ⑨
16
17
⋮

$27 < 2★$ ➡ 0 1 2 3 4 5 6 7 ⑧ ⑨

$2◆ < 25$ ➡ ⓪ ① ② ③ ④ 5 6 7 8 9

$♥2 < 23$ ➡ 0 ① ② 3 4 5 6 7 8 9

$◆5 < 35$ ➡ 0 ① ② 3 4 5 6 7 8 9

$★7 < 41$ ➡ 0 ① ② ③ 4 5 6 7 8 9

P 98 ~ 99

3일차

◆ ♥와 ▲ 안에 공통으로 들어갈 수 있는 숫자를 찾아 ▢ 안에 써넣으시오.

4, 5, 6, 7, 8, 9   0, 1, 2, 3, 4
$23 < 2♥$ $2▲ < 25$

공통으로 들어갈 수 있는 숫자 : 4

$17 < 1♥$ $38 < 3▲$

공통으로 들어갈 수 있는 숫자 : 9

$5▲ < 53$ $81 < 8♥$

공통으로 들어갈 수 있는 숫자 : 2

$▲5 < 41$ $♥2 < 15$

공통으로 들어갈 수 있는 숫자 : 1

$♥4 < 38$ $32 < 3▲$

공통으로 들어갈 수 있는 숫자 : 3

$4♥ < 42$ $▲1 < 35$

공통으로 들어갈 수 있는 숫자 : 1

P 100~101

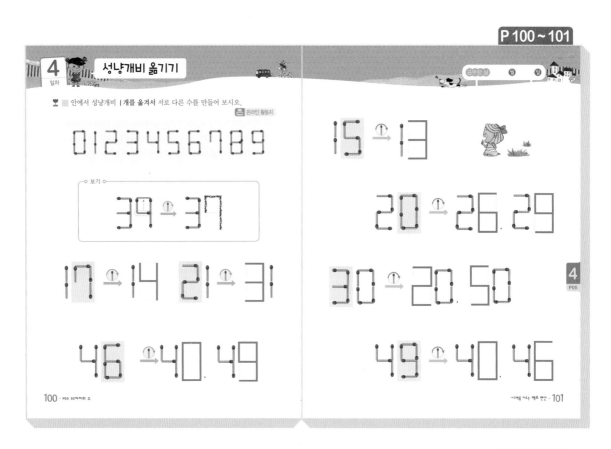

P 102~103

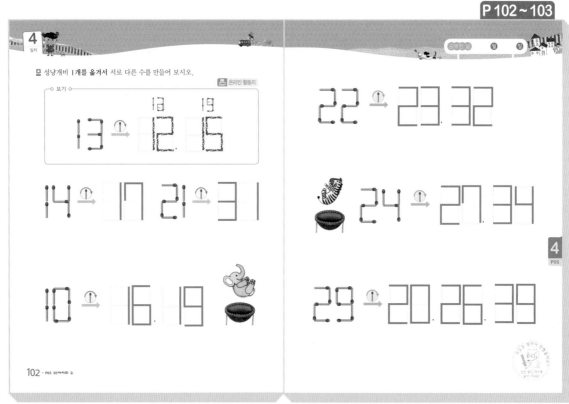

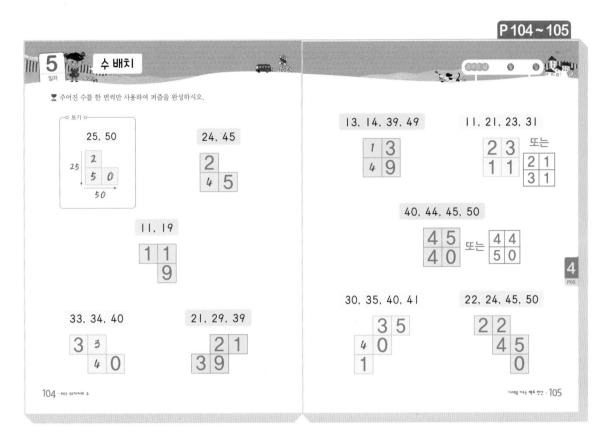

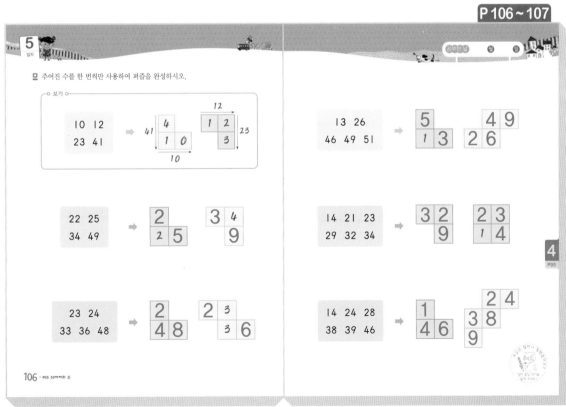

memo

상　장

이 름 : _____

위 어린이는 **팩토 연산 P05**권을

창의적인 생각과 노력으로 성실히

잘 풀었으므로 이 상장을 드립니다.

20　년　월　일

매스티안

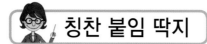

P. 8

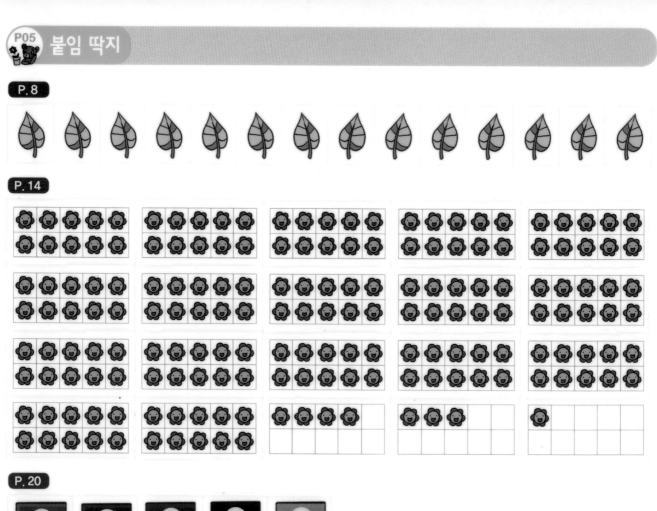

P. 14

P. 20

P. 26

P. 32

P. 62